VEGAN TO GO

VEGAN

BECKER
JOEST
VOLK
VERLAG

TO GO

VON ATTILA HILDMANN

FOOD-FOTOS **Simon Vollmeyer**   FOOD-STYLING **Johannes Schalk**   PORTRÄTS **Justyna Krzyżanowska**

INHALT

DER VEGANE HYPE
Von Berlin bis Los Angeles – warum vegan plötzlich erfolgreich ist

Das Angebot war karg, als ich im Jahr 2000 beschloss, mich vegan zu ernähren. Neben den schon immer veganen Lebensmitteln waren im Reformhaus oder Bioladen gerade mal einige Grundprodukte erhältlich. Die Vorstellung von leckerer Mandelmilch, Tofuburgern oder veganer Reismilchschokolade war damals geradezu visionär! Trotzdem ging ich schon damals gern auf Entdeckungsreise und fuhr mit dem Rad durch die ganze Stadt, um einen Biodealer zu finden, der vielleicht veganes Eis oder veganen Käse neu ins Angebot aufgenommen hatte. Meine Beute enttäuschte mich jedoch regelmäßig: Das Eis glich klebrig-süßer Pampe und der Käse fiel vor allem durch schlechten Geruch und fehlende Ähnlichkeit zum Original auf. Dennoch war es ein Abenteuer.

Heute, 14 Jahre später, ist vegan ein Megathema in den Medien – und das merkt man endlich auch am Warensortiment. Vegane Restaurants und Snackbars sprießen wie Pilze aus dem Boden, ein veganer Supermarkt nach dem anderen eröffnet und die Hersteller buhlen um die Zielgruppe mit Vegan-Schriftzügen, was früher noch als Umsatzbremse verworfen worden wäre. Selbst Ärzte empfehlen inzwischen vielfach vegane Ernährung bei Übergewicht oder gefährlich hohen Cholesterinwerten, bei einigen Hautkrankheiten oder auch als unterstützende Krebstherapie. Namhafte Magazine bringen Sondereditionen mit veganen Kochrezepten heraus, nachdem sie noch vor drei Jahren das ganze Thema leider nur als randgruppenrelevant abgetan haben.

Vegan ist sozusagen über Nacht richtig cool geworden. Wie ist das möglich? Natürlich haben es, wenn man sich heute rückblickend unterhält, immer alle schon gewusst, dass das ein Trendthema der Zukunft wird – besonders natürlich die Lebensmittelkonzerne, die Verlage, die Trendforscher und alle anderen, die sich jetzt im Erfolg sonnen. Merkwürdig daran ist nur: Vor drei Jahren war es für mich noch knallharte Arbeit, auch nur einen einzigen Menschen davon zu überzeugen, dass dieses Thema kommen wird. Und wenn man mal einen Interviewtermin erstritten hatte, begegneten einem Fragen, die man wohl einem Marsmännchen nicht anders gestellt hätte.

Inzwischen hat sich vieles geändert. Meine Bücher haben die Bestsellerlisten gestürmt. Neu vorgestellte Produkte sind oft umgehend ausverkauft. Das E-Mail-Konto meines Managements quillt über von ernsthaft interessierten Presseanfragen. Vegan ist jetzt sexy, urban, modern – und ich habe meinen Teil dazu beigetragen, dass man heute nicht mehr automatisch in der Ecke der lamentierenden Weltverbesserer und der bemitleidenswerten Konsumverweigerer landet, nur weil man sich möglichst gesund und frei von Tierleid ernähren will. Vegan essen, fit aussehen, Spaß haben, modern leben und offenbleiben für alles: Das ist heute kein Widerspruch mehr. Das war und ist meine Vision von einem Menschen, der sich ganz oder teilweise vegan ernährt.

VEGANIZE IT!
Wie man Eier, Sahne und Co. ersetzen kann

Am Anfang meiner veganen Entdeckungsreise kostete es mich ein paar Jahre, um pflanzliche Alternativen für tierische Produkte zu finden. Aber dafür war die Freude umso größer, wenn es mir gelang. Denn diese neuen Zutaten waren oft viel gesünder und schmeckten mindestens genauso gut wie das tierische Original. So würde ich bis heute mein cremiges Vanilleeis auf Basis von Cashewkernen immer wieder dem kalorienstrotzenden Original aus Kuhsahne vorziehen. Ich zeige dir in diesem Buch, wie einfach es sein kann, klassische Zutaten auszutauschen.

Hier verrate ich schon mal ein paar grundsätzliche Tricks für Neuveganer:

Eier Beim Backen brauchst du oft gar keine Eier, die Bindung kannst du durch einen Esslöffel Sojamehl pro Ei oder eine gequetschte Banane erreichen. Für einen fluffigen Biskuitteig empfehle ich, am Ende aufgeschlagene Sojaschlagsahne unter den Teig zu heben und in den Teig einen Esslöffel Essig und Backpulver zu geben. Die chemische Reaktion von Essig und Natriumhydrogencarbonat sorgt dann für einen luftigen Teig. Eiersalat lässt sich wunderbar aus weichem Naturtofu herstellen. Möchtest du selbst eine cremige Mayonnaise zubereiten, benötigst du statt Eigelb nur Öl, etwas Sojamilch und Johannisbrotkernmehl. Hast du Lust auf Rührei, nimm Naturtofu, zerbrösele ihn mit der Gabel und brate ihn leicht in der Pfanne an, gib etwas Mandelmilch, Mandelmus und Kurkuma für die Farbe dazu und schmecke ihn mit Salz und Pfeffer ab – fertig ist das Powerfrühstück! Für einen überzeugenden Eigeschmack kannst du das Schwefelsalz Kala Namak benutzen, eine Prise genügt.

Sahne Cremige Saucen kannst du gut auf der Grundlage von weißem Mandel- oder Cashewmus zubereiten, indem du das Mus mit etwas Wasser mixt und dann erhitzt. Nussmuse dicken an, wenn man sie erhitzt, deshalb eignen sie sich auch wunderbar, um Suppen oder Saucen anzudicken. Alternativ kannst du auf die große Vielfalt an pflanzlichen Sahnealternativen wie Hafer-, Soja- oder Reissahne zurückgreifen. Schlagsahne kannst du aus Kokosmilchfett und Cashewmus selbst herstellen – oder du nimmst einfach fertige Sojaschlagsahne. Du siehst: Niemand muss heute noch Kühe einsperren, um ein cremiges Eis mit Schlagsahne genießen zu können!

Milch Die Auswahl in Bioläden und Supermärkten wird immer größer. Es gibt unter anderem Reis-, Mandel-, Hanf-, Kokos-, Haselnuss-, Soja- und Dinkelmilch. Manche Marken schmecken, andere gar nicht. Teste einfach das Sortiment – und gib nicht sofort auf, wenn du eine Niete gekauft hast. Du wirst deine Lieblingsmilch ganz sicher finden. Für den Milchschaum auf dem morgendlichen Kaffee oder Matcha empfehle ich Sojamilch, dann wird der Schaum schön fest.

Fisch   Auch für Fisch gibt es natürlich vegane Alternativen, allerdings sind die bisher enttäuschend. Vegane Garnelen, die fade schmecken und eine Konsistenz wie Autoreifen haben, sind nicht einfach nur ein schlechter Scherz diverser Hersteller, sondern tatsächlich Realität. Wenn du Lust auf Meergeschmack hast, kannst du Nori-Algen im Mixer vermahlen und unter dein Essen mixen – zum Beispiel bei Tofusticks, die darin gewälzt sind und anschließend paniert werden. Die schmecken dann leicht nach Fischstäbchen.

Fleisch   Zerbröselter Tofu eignet sich wunderbar als Grundlage für Hacksaucen. Achte nur auf die wichtigste Regel: Tofu immer gut anbraten, dann verschwindet die wabbelige Konsistenz. Brätst du Tofuwürfel in der Pfanne als Salattopping an, lasse sie danach etwas abkühlen, dadurch werden sie fester. Seitan ist ebenfalls ein guter Fleischersatz; er besteht aus dem Eiweiß von Getreide, dem Gluten, und ist etwas faseriger als Tofu. Ich benutze Seitan gern als Döner- oder Gyrosfleisch oder als Grundlage für Schnitzel. Im Bioladen findest du übrigens ein großes, stetig wachsendes Sortiment an Fleischalternativen, wenn du mal wieder Lust auf Chicken Wings oder Grillsteaks hast. Apropos: Ein Barbecue schmeckt auch mit veganen Zutaten: Tofu und Tempeh mit leckeren Marinaden, Gemüse-Räuchertofu-Spieße, gegrillte Aubergine und Zucchini, Mais und Brotfladen vom Grill sind super. Achte immer darauf, dass du dein Grillgut reichlich mit Öl einpinselst, damit es nicht zu trocken wird.

Käse   Mittlerweile gibt es wirklich gut schmeckenden veganen Käse und sogar Käsefondue zu kaufen, dennoch aufgepasst: Manchmal sind auch Chemiebomben dabei, bei denen die Zutatenliste schon fast an einen Roman erinnert. Du findest auch Käse auf Basis von Nüssen, fermentierte Cashewkerne kommen hierfür gern zum Einsatz – solchen Käse kannst du aber sogar selbst ganz einfach herstellen. Für Käsesaucen benutze ich weißes Mandelmus, vermenge es mit etwas Wasser und Hefeflocken und würze mit Salz. Diese Sauce passt sehr gut auf Aufläufe, Pizzen und Baguettes.

Honig   Honig ist sicher ein Streitthema. Für viele Leute, mich eingeschlossen, hat er keine besondere Relevanz beziehungsweise war nicht der Hauptgrund, mich vegan zu ernähren. Aber natürlich sind Bienen auch keine schwarz und gelb gestreiften Tulpen, sondern Lebewesen mit einem Nervensystem. Wir brauchen sie für die Bestäubung unzähliger Pflanzen, weshalb eine liebevolle Zucht unerlässlich ist. Dagegen ist die industrielle Zucht von Bienen oft sehr grausam – ich empfehle den Film „More than Honey", um sich ein eigenes Bild zu machen. Honig kannst du jedenfalls ganz einfach durch Süßungsmittel wie Agavendicksaft, Reissirup, Apfelsüße oder Melasse ersetzen. Mittlerweile gibt es sogar ein veganes Produkt, das wie Honig schmeckt, wenn du darauf Lust hast.

Butter   Eine geniale Alternative zu Butter sind diverse Margarinen ohne gehärtete Fette. Viele haben nicht mehr diesen typischen Margarinegeschmack, sondern schmecken fast wie echte Butter. Lange war Margarine wegen der sogenannten gehärteten Fette als ungesund verschrien. Heutzutage ist das nicht mehr der Fall und Biomargarine gehört zu den gesündesten Fetten.

Gelatine   Magst du Götterspeise oder Pannacotta, benötigst du einen Ersatz für Gelatine. Aber auch unabhängig davon, ob man sich vegan ernähren möchte oder nicht: Appetitlich ist Gelatine ganz sicher nicht, denn sie enthält gemahlene Tierknochen! Wenn du also Lust auf Gummibärchen und Co. hast, probiere mal das pflanzliche Geliermittel Agar-Agar, das aus Algen gewonnen wird, oder Pektin aus dem Apfel. Du rührst beides jeweils mit kaltem Wasser an, kochst es dann auf, gibst es zu deinen anderen Zutaten und stellst dann alles kühl.

VON WEGEN ASKESE
Erst fragst du, was du noch essen kannst, später hat sich dein Küchenstil revolutioniert

Als ich begann, mich vegan zu ernähren, verfolgten mich erst mal Gedanken wie: „Goodbye Döner, Bolognesesauce und Eiscreme, ich werde in Zukunft nur noch wie ein Hase Möhren knabbern und auf Salatblättern herumkauen." Und so ist auch die Reaktion vieler, die das erste Mal über vegane Ernährung stolpern. Dabei ist es so einfach, köstlich und auch gut praktikabel, wenn man die richtigen Kniffe kennt. Von Verzicht keine Spur! Erst die kurzzeitige Verknappung im Geiste bringt den Menschen wieder dazu, neugierig zu werden und Gesundes neu auszuprobieren.

Wer einmal den Energieschub und das Wohlgefühl durch eine abwechslungsreiche pflanzliche Ernährung kennengelernt hat, wird schnell verstehen, dass er allein es ist, der tatsächlich in der Askese lebt, oft genug begleitet von Selbstvorwürfen, Völlegefühl und bleierner Tagesmüdigkeit. Vegane Ernährung ist unbelasteter Genuss, der in der Küche viel Spaß mit sich bringt. Lasse dich einfach mal auf diese neue kulinarische Welt ein und du wirst sehen, wie superlecker das alles ist.

Ich habe in den vergangenen drei Jahren über 350 Rezepte entwickelt. Viele davon findest du in meinen Büchern oder der Attila-Hildmann-App fürs Smartphone. Jedes einzelne Rezept ist es wert, probiert zu werden, und inspiriert dich, Neues auszuprobieren und in dein neues Ernährungsverhalten einzubauen. Hier ist eine keineswegs vollständige Liste der Dinge, die deinen Speiseplan bei einer veganen Ernährung bereichern und ergänzen können:

- Unzählige Gemüse- und Obstsorten, bunte Salate, Sprossen, eingelegtes Gemüse sowie Trockenfrüchte und Smoothies
- Kohlenhydratreiche Produkte wie Amaranth (gepoppt und ungepoppt), Dinkel, Quinoa, Hirse, Couscous, Mais sowie Esskastanien und Süßkartoffeln
- Eiweißhaltige Produkte wie Linsen, Bohnen, Kichererbsen, Erbsen und Sojaprodukte
- Nüsse wie Macadamianüsse, Cashewkerne, Paranüsse, Walnüsse, Kerne und auch Nussmuse
- Superfoods wie Acai, Matcha, Gojibeeren, Acerola und Spirulina, damit man sich optimal mit sekundären Pflanzenstoffen wie Antioxidantien versorgt und sich damit vor Umweltgiften und freien Radikalen schützt
- Kalt gepresste Öle wie Olivenöl, Leinöl, Walnussöl und diverse andere hocherhitzbare Öle
- Veganes Junkfood wie Chips, Flips, Müsliriegel, Schokolade und auch Alkohol – natürlich in Maßen

THE CHANGE
Deine Gesundheit, deine Umwelt, dein Verhältnis zu Tieren

Man wird diesen vielschichtigen Genuss veganen Essens nicht erleben, wenn man es nicht selbst ausprobiert hat. Es ist überhaupt nicht vergleichbar mit einem 08/15-Essen. Ein köstliches veganes Gericht ist nicht nur gut für deine Gesundheit, sondern du spürst auch bewusst und unbewusst, dass du damit Tierleben und die Umwelt schonst: Jeder Bissen ist ein leckerer Klimaschützer, schont Ressourcen und verbraucht weitaus weniger Wasser als das tierische Pendant. Es ist ein Erlebnis mit allen Sinnen und eine wohlschmeckende Ideallösung. Dieses Gefühl wirst du schon nach den ersten Tagen haben. Es wird dich beleben, du wirst Dinge plötzlich in einem ganz anderen Licht sehen und dich fragen, warum du vorher anders gegessen hast. Als ich vor Jahren damit begann, hätte ich mir niemals vorstellen können, dass ich so lange dabeibleiben würde und jeder Tag eine Bereicherung, ein kulinarischer Hochgenuss werden könnte und mich in meiner Meinung sogar festigte. Ich werde oft gefragt, ob ich nicht Heißhunger auf ein blutiges Steak oder fettiges Sahneeis habe – nein, ganz und gar nicht mehr! Ich fühle mich rundum wohl und verzichte auf nichts! Vielleicht wirst du die vegane Küche auch irgendwann in einem anderen Licht sehen. Dann wirst du verstehen, dass sie statt Verzicht ein echter Zugewinn ist – auf allen erdenklichen Ebenen!

Hier findest du eine kleine Liste von Dingen, die von deinem veganen Essverhalten beeinflusst werden. Sehr viele Neuveganer berichten davon, dass

- die Verdauung besser wird
- die Haut reiner wird
- Übergewicht verschwindet
- die Blutwerte (Triglyceride, Cholesterin) optimal werden
- der Blutdruck sinkt
- sie jünger aussehen
- die Tagesmüdigkeit verschwindet
- sie besser schlafen
- die Konzentrationsfähigkeit steigt
- Krämpfe verschwinden
- Mund- und Körpergeruch verschwinden
- die Stimmung steigt
- Gelenkbeschwerden nachlassen

Mit jeder Mahlzeit etwas gesünder werden

Vegane Ernährung wird dir vor allem helfen, nicht irgendwann Opfer unserer falschen Ernährungs-gewohnheiten zu werden. Über 430.000 Deutsche sterben jedes Jahr an ernährungsbedingten Krank-heiten. In den USA ist die Lage noch dramatischer: Über 600.000 Amerikaner sterben jedes Jahr allein an Herzkrankheiten. Das ist jeder vierte Todesfall. Amerika ist dabei weltweit ein trauriges Beispiel, dem viele andere Nationen folgen. So steigt in Asien die Zahl der Übergewichtigen extrem an, seit sich westliche Gewohnheiten massenhaft verbreiten.

Mehrfach bewiesen und wissenschaftlich bestätigt ist, dass eine vegane Ernährung das Herzinfarkt-risiko massiv senken kann, da sie komplett cholesterinfrei ist. Einige Ärzte sägen aber trotzdem weiter Patienten lieber den Brustkorb auf, operieren am offenen Herzen und verschreiben danach in grausamen Tierversuchen getestete Medikamente. Man könnte auch frühzeitig die kostengünstige Alternative einer Heilung durch richtige Nahrung empfehlen, nämlich sich einfach vegan zu ernähren. Auch für meinen Vater kommt diese Erkenntnis zu spät und die Gedanken an sein Schicksal treiben mich bis heute an. (Ruhe in Frieden, Papa!)

Die Lobbyisten der Fleisch- oder der Pharmaindustrie haben scheinbar leider kein nachvollziehbares Interesse daran, dass diese Erkenntnisse über Ernährung übermäßig verbreitet werden. Es ist ein Teufelskreis: Wir Deutsche werden durch unser Essen immer fetter und langsam immer kränker. Am Ende laufen wir in die Arme der Pillenhersteller und landen irgendwann im OP. Unter anderem für die Pharmaindustrie werden fast drei Millionen Tiere in deutschen Laboren in Versuchsreihen gequält (Zahlen: 2011). Aber: Du kannst dich diesem menschenverachtenden System mit deinem Kauf- und Essverhalten entgegenstellen, dann ist der Spuk irgendwann vorbei. Abgestimmt wird an der Kasse im Supermarkt. Benutze die Macht deines Portemonnaies! Sei deine eigene Krankenversicherung und kaufe nur das Beste für dich – denn du hast nur einen Körper!

Es gibt erstaunlich viele andere Krankheitsbilder – von Darmerkrankungen über Akne bis zum Burn-out –, die durch vegane Ernährung verbessert werden. Sogar in der Krebstherapie wird heute oft eine vegane, zuckerfreie Ernährung empfohlen. Kein Wunder, denn die Konzentration von Schutzstoffen – wie die Antioxidantien in der Haut – erhöht sich und die CO_2-Konzentration in der Atemluft sinkt; das habe ich nicht zuletzt in „Vegan for Youth" wissenschaftlich nachgewiesen. Die Liste an positiven Effek-ten ist lang. Du kannst sie gern erweitern und mir schreiben, was sich bei dir getan hat! Wenn du wissen willst, ob sich deine Beschwerden lindern lassen, melde dich einfach in meinen Facebook-Gruppen an und frage die unzähligen Challenger, die bereits ihre Erfahrungen gemacht haben.

Vegane Ernährung hilft gegen Massentierhaltung

Enge Ställe, lange Tiertransporte, katastrophale Bedingungen in vielen Schlachthöfen, Hormone, Qual-züchtungen, entzündete Euter, siechende Ferkel, Seuchen und Antibiotika – das sind die traurigen Schlagworte. Aufgrund unseres immer größer werdenden Fleischhungers und des rasanten Bevölke-rungswachstums führen nur zwei Wege davon weg: Entweder essen wir grundsätzlich weniger Fleisch und kaufen dieses dann vom geprüften Biobauern oder wir ernähren uns vegan. Dann werden diese hässlichen Folgen unseres „Tierhungers" bald immer mehr verschwinden. Ich bin mir sicher: Wenn wir nur einen Tag im Leben mit offenen Augen ein Tier vom viel zu engen Stall ins Schlachthaus beglei-ten würden, wären 90 Prozent von uns ab morgen Veganer. Irgendwann in der Zukunft wird man sicherlich kopfschüttelnd auf unsere Zeit zurückschauen. Was wir den Tieren heute antun, oft durch unbewussten Konsum, ist – objektiv betrachtet – eine ekelhafte Perversion. Männliche Küken werden immer noch lebendig geschreddert oder mit Giftgas getötet, weil sie keine Eier legen können, obwohl das gegen das geltende Tierschutzgesetz verstößt. Viele Milchkühe bleiben lebenslang angekettet in ihrem Kot stehen und werden dauerträchtig gehalten, damit wir billiges Sahneeis und Käse herstellen können. Ferkel werden nach der Geburt oft einfach ohne Betäubung kastriert, ihnen werden Zähne gekürzt und der Schwanz wird abgeschnitten, dann werden sie von der Mutter getrennt – das Ganze ohne jedes Mitgefühl im Akkord. Und der Staat schaut zu ...

Was hinter diesen verschlossenen Türen passiert, macht wütend und ist unendlich weit weg von dem, was nach unserer Moral unter einem schützenden Umgang mit schwächeren Lebewesen zu verstehen ist. Die Profiteure nutzen dabei vor allem ein Phänomen: Weil sich viele Menschen nicht in der Lage fühlen, ganz und für immer zu verzichten, gehen sie die ersten Schritte nicht. Deshalb mein Wunsch: Beginne einfach morgen damit, Stück für Stück deine Nahrung zu veganisieren und diese Zustände auszuhungern. Vegane Ernährung wird dir helfen, dir wieder ein klares Bild zu machen und nicht weiter der lebenslangen Verdrängung nachzugeben.

Die Meere können sich erholen

Bald sind wir so weit, dass die Meere weitgehend leer gefischt und fast tot sind. Schleppnetze verwüsten den Meeresboden, Beifang wie Delfine und Schildkröten sind längst vom Konsumenten geduldete „unvermeidliche" Kollateralschäden der industriellen Fischerei. Übrigens: Fische enthalten durch die Verschmutzung der Meere inzwischen oft bedenkliche Mengen an Schwermetallen wie Quecksilber. Mit der Aufnahme von Quecksilber werden Krankheiten wie Parkinson in Verbindung gebracht. Ein aktueller Trend sind Aquakulturen, wo die Tiere auf kleinem Raum ihr Dasein fristen – einzig und allein, um gemästet zu werden. Bei dieser unnatürlichen Enge ist der vermehrte Einsatz von Chemikalien und Medikamenten notwendig. Deine vegane Ernährung wird helfen, den Artenreichtum des Biotops Meer wieder herzustellen.

Vegane Ernährung schont die Umwelt

Wir sägen täglich an dem Ast, auf dem wir sitzen. Der Regenwald wird für Weide- und Futteranbauflächen gerodet. Unsere „grüne Lunge" wird so täglich kleiner, Arten sterben aus und Ureinwohner werden vertrieben. Der Klimawandel wird durch die Ausdünstungen der Kühe gefährlich beschleunigt – besonders durch den Ausstoß des klimaschädlichen Gases Methan. Doch der sonst immer als Erstes beschuldigte Verkehr – Flugzeuge, Schiffe und Autos – stößt bereits weniger Kohlendioxid aus als die globale Tierhaltung. Durch die weltweit steigende Tierhaltung wird Grundwasser durch Gülle verseucht. Monokulturen für Soja und Mais in den armen Ländern verdrängen die Vielfalt und lassen die Ärmsten noch ärmer werden, weil sie keine für den eigenen Verzehr bestimmten Pflanzen mehr anbauen können, da der Platz fehlt. Laut der Landwirtschaftsorganisation der UN (FAO) werden schon heute 75 Prozent des weltweiten Ackerlands zum Anbau von Tierfutterpflanzen benutzt. Auch der Wasserverbrauch für Fleisch ist immens: Für ein Kilogramm Fleisch sind in der Produktion 4.000 Liter Wasser notwendig. Davon könnte man fast ein Jahr täglich duschen. Gründe genug, einfach mal mit einer oder zwei veganen Mahlzeiten zu starten, wie ich finde.

KÜCHENEINMALEINS
Was du wirklich brauchst

Jeder kennt wahrscheinlich die Situation: Man möchte Gemüse schälen, aber der Sparschäler hat einfach nichts drauf und ist so stumpf wie das Nachmittags-TV-Programm. Um Spaß am Kochen zu haben und Zeit zu sparen, ist es sehr wichtig, das richtige Equipment zu benutzen. Deshalb gebe ich dir meine ganz persönlichen Tipps an die Hand, damit du deine Arbeitsabläufe reibungsloser, effizienter und schneller gestalten kannst. Dabei sind meine Empfehlungen wirklich nur als solche zu verstehen. Was du dir letztlich kaufst, ist auch davon abhängig, wie dick dein Portemonnaie gerade ist.

Messer   Bist du Anfänger in der Küche, kaufe dir ein gutes Allroundmesser mit einer massiven Klinge und einem festen Griff. Du brauchst wirklich keinen ganzen Messerblock, ein einziges gutes Messer genügt für den Anfang. Die Klinge sollte bis zum Ende des Griffs durchgehend eingearbeitet sein. Einsteigermodelle gibt es schon ab circa 25 Euro.

Schäler   Ein guter Sparschäler kann dir viel Zeit sparen, vielleicht heißt er auch deshalb so. Achte hier auf scharfe Klingen und eine solide Verarbeitung. Mein Sparschäler hat etwa 15 Euro gekostet; ich habe ihn schon seit Jahren.

Küchenbrett   Ein gutes, großes Brett ist dein neuer Arbeitstisch. Brotbrettchen sind fürs Abendbrot gedacht, aber nicht dafür, um darauf professionell Gemüse zu schneiden. Ich bevorzuge massive Holzbretter ohne Abflussrand und ohne Schräge. Ein Plastikbrett kommt mir nicht in die Küche, das gibt mir ein Gefühl, als wenn ich in einer Mensa kochen würde. Ehre dein Holzbrett! Wische es nach jedem Arbeitsgang mit einem feuchten, sauberen Tuch ab und öle es alle paar Wochen mit etwas Olivenöl ein.

Keramikpfanne   Neben beschichteten Pfannen wie Teflonpfannen kannst du Keramikpfannen und gusseiserne Pfannen nehmen. Kaufe dir bitte kein billiges Set, sondern investiere das Geld lieber in eine richtig gute Pfanne, die vielleicht genauso viel wie das Set aus drei Pfannen in verschiedenen Größen kostet, aber dafür dreimal so lange hält.

Töpfe   Im Gegensatz zu Pfannensets empfehle ich bei Töpfen, direkt in ein gutes Set zu investieren. Das sollte aus einem kleinen, einem mittleren und einem großen Topf – jeweils mit Deckel – bestehen, am besten aus Edelstahl und mit Edelstahl- statt Plastikgriffen. Im Verkaufs-TV werden oft Töpfe angepriesen, die scheinbar so toll sind, dass sogar Astronauten darin im Weltraum ihren Raumfahrerbrei aufwärmen könnten. Diese Töpfe haben geheimnisvolle Düsen und Druckluftsysteme – falle darauf bitte nicht herein und kaufe etwas Ordentliches!

Schaumbesen Schaumschläger aufgepasst: Manchmal braucht man einen Schaumbesen für flüssige Teige oder Saucen. Achte bei einem Schaumbesen besonders auf die solide Fertigung. Er sollte idealerweise aus Metall sein, ich vertraue Plastik oft nicht. Die Schweißnähte, falls vorhanden, sollten richtig massiv sein. Nimm im Laden einen aus dem Regal und schleich dich in eine Ecke. Wenn keiner guckt, drückst du ihn etwas zusammen – gibt er nach, formt sich aber wieder zurück, kauf ihn. Gibt er nach, formt sich aber nicht wieder zurück und du hast statt eines runden Schaumbesens nur noch einen ovalen, ist es nicht dein Fehler und nicht du solltest dich schämen, sondern der Hersteller. Leg ihn wieder zurück, am besten in die Kinderabteilung zu den Spielzeugen – da gehört er nämlich hin!

Pinsel Manchmal möchte man Lebensmittel nur leicht mit Öl einpinseln – oder mit etwas Zuckerguss, wie es bei den besten Donuts der Welt (siehe Seiten 222–225) der Fall ist. Es gibt viele Billigpinsel, die aus Plastik oder Holz gefertigt sind. Nach ein paar Benutzungen wirst du die Pinselhaare im Mund haben. Kaufe dir am besten einen mit einem Metallgriff und einem Silikonpinselteil.

Küchensieb Besorge dir am besten ein massives Sieb aus Edelstahl. Diese Siebe haben oft mittelgroße Poren und sind super, um Pasta abtropfen zu lassen. Zusätzlich besitze ich ein etwas kleineres Sieb mit sehr kleinen Poren. Das verwende ich, um Quinoa abtropfen zu lassen oder um Saucen und Suppen zu passieren, sodass sie sehr cremig werden.

Teesieb Tee ist ein großartiges Superfood! Ich liebe grünen Tee – er hält jung, macht aktiv und fit. Behandle ihn mit Respekt und erspare ihm Plastikteesiebe. Gönne ihm ein Teesieb aus Metall. Auch hier gibt es Qualitätsunterschiede, bei manchen Herstellern reißt nach ein paar Malen das Sieb heraus oder bekommt Löcher. Super sind auch die verschließbaren runden Teesiebkugeln. Du füllst dort den Tee hinein, verschließt die Kugel mit einem Zangensystem und steckst dieses Sieb einfach nur in dein Glas mit heißem Wasser, ohne dass dann Teeblätter herumschwirren.

Pürierstab Für den Anfang kaufst du dir ein gutes Pürierstabset, um Saucen oder Shakes cremig zu bekommen, vegane Sahne aufzuschlagen oder Zutaten zeitsparend zu häckseln. Achte darauf, dass die wichtigsten Teile dabei sind: der solide Stab aus Metall, ein starker Motor, ein zusätzlicher Schaumbesen, ein hohes Gefäß und ein Häckselaufsatz. Einen Eiscrusher als Zubehör braucht dagegen kein Mensch! Fange bitte nicht an, damit Mandelmus herzustellen – das schaffen entweder nur Uraltküchenmaschinen aus den 80er-Jahren, die nicht designt wurden, um kaputtzugehen, oder neue, teure Hochleistungsmixer. Vertraue mir, ich habe schon mindestens ein Dutzend Pürierstäbe in meinem Leben geschrottet, mindestens …

Mixer Ich liebe Pferdestärken, auch bei Mixern. Mein Mixer hat 2 PS und einen Stab, um die Masse ins Messer zu drücken. Das macht ihn so genial – und das fehlt bei vielen Produkten anderer Hersteller. Dann musst du den Mixer nämlich ständig ausschalten, mit einem Löffel die Masse von den Seiten kratzen, wieder anmachen, ausmachen und kratzen, anmachen etc. Hier kann man allerdings mehrere Hundert Euro hinblättern, dafür halten diese Mixer selbst bei mir sehr lange und haben auch etliche Jahre Garantie.

MEIN STUFENSYSTEM
Eine einfache Einteilung von Diät bis Verwöhnprogramm

Durch mein Buch „Vegan for Fit" haben Hunderttausende effektiv abgenommen und gesehen, dass vegane Ernährung, die sich an meinem Stufensystem orientiert, eine schnelle, gesunde und köstliche Abnehmmethode ist. Das Stufensystem enthält Rezepte der Stufen 1 und 2.

Stufe-1-Rezepte sind kohlenhydratarm und enthalten zum Beispiel weniger komplexe Kohlenhydrate in Form von Stärke. Im Rahmen von „Vegan for Fit" dürfen sie bis 19 Uhr gegessen werden. Stufe-2-Rezepte dagegen haben einen höheren Kohlenhydratanteil und dürfen nur bis 16 Uhr gegessen werden.

Bei „Vegan for Youth" ging es außer um Gewichtsreduktion auch darum, durch eine Ernährung, die reich an Antioxidantien ist, biologisch jünger zu werden und Alterungserscheinungen hinauszuzögern. Ich führte die Kochkunst nach der ORAC-Liste ein und führte Messungen durch, die bewiesen, dass man sich tatsächlich durch bestimmte vegane Lebensmittel verjüngen kann.

Neben der supergesunden, aber kleinen Welt aus Amaranth, Mandelmus, Acai-Beeren und Matcha gibt es jedoch einen riesigen Kosmos von Rezepten und Ideen, die zwar weiterhin weitaus gesünder als das tierische Original und komplett cholesterinfrei sind, aber aufgrund von Zucker, Weißmehl oder Margarine nicht die erste Wahl fürs Abnehmen sind. Man muss sich ja auch mal etwas gönnen – und es ist an der Zeit zu zeigen, was die vegane Küche noch an Geschmacksbomben offenbaren kann.

Auch in „Vegan to Go" wird das Stufensystem beibehalten. Aber neben den Stufen 1 und 2 enthält „Vegan to Go" richtige Knaller, die wohl eher bei Stufe 5 oder 6 angesiedelt sind. Okay, ich nenne sie Stufe 3 – vegane Schlemmerstufe! Aber man gönnt sich ja sonst nichts und da Veganer sowieso als Verzichtskünstler verschrien sind, können wir hier mal richtig auf den Putz hauen und schlemmen, was das Zeug hält. Man kann sich dabei trotzdem ganz sicher sein, dass man gesünder wegkommt als bei dem tierischen Pendant. Übertreibt man es allerdings, steht direkt die nächste 30-Tage-Challenge bevor.

„KISS" – KEEP IT SIMPLE AND STUPID!
Vegan ist nicht aufwendig

Es ist ganz einfach: Du kannst weiter den Fertigkram essen, der dir angeblich Zeit spart, oder du erlernst die Basics der veganen Küche und wirst dadurch nicht nur schneller zum Ergebnis kommen, sondern vor allem länger und gesünder leben. Fast Food bringt dich aufgrund der ganzen Zusatzstoffe vor allem schnell ins Grab! Sei optimal vorbereitet und mach es dir nicht zu kompliziert. Klar, ein Auberginen-Tower mit Brokkolicreme und Granatapfeltopping aus „Vegan for Youth" beeindruckt bei einem ersten Treffen mit deiner neuen Flamme und bringt dich vielleicht schneller zum Ziel, aber für den Alltag kann es auch einfach mal kurz, knapp und knackig sein. Unser Motto heißt: Keep it simple and stupid! Superschnell und einfach gemacht sind Pasta mit Pestos und Saucen, ein Salat mit Toppings, eine Gemüsepfanne mit Reis oder Nudeln, ein vorbereiteter Müsliriegel oder ein saftiges Sandwich, das so belegt ist, dass es nicht durchweicht.

Besorge dir das richtige Equipment. So kommst du mit Freude und viel weniger Zeit zum Ziel! Das alles ist zu aufwendig? Versuche es erst mal – und zwar mit dem einfachsten Rezept, das dir unter die Fühler kommt.

Jede Minute zählt – so schnell kann man kochen

Zeit ist die wichtigste Währung des Lebens. Jede Minute Lebenszeit mit Freunden oder der Familie ist wichtiger, als in der Küche Kräuter zu hacken – beides zusammen geht natürlich auch. Wenn du dir ein einfaches Rezept vornimmst, ist es wahrscheinlich, dass meine Zeitangabe weitaus kürzer ist als deine. Das liegt vor allem daran, dass es dein erstes Mal ist, ich dagegen die Arbeitsschritte kenne und mehrmals wiederholt habe. Wenn du dich verbessern möchtest, koch ein Rezept einmal gründlich nach und lass dir Zeit. Beim nächsten Mal wird es schon wesentlich schneller gehen – bis du das Rezept irgendwann im Schlaf beherrschst. Ein gutes Beispiel ist ein Sandwich: Während du beim ersten Mal alles hintereinander abarbeitest – Tofu anbraten, Salat waschen, Pesto vorbereiten –, wirst du als zukünftiger Profi vor allem zeitlich davon profitieren, wenn du Dinge gleichzeitig machst. Das heißt beim Sandwich: den Tofu in der Pfanne brutzeln lassen und in der Zwischenzeit schon mal das Pesto vorbereiten oder das Brot in den Ofen schieben. Eine kurze Anekdote, um das zu verdeutlichen: Ich wollte früher Pilot werden und trainierte sowohl beim Segelfliegen als auch im speziellen Prüfungssimulator. Man fliegt dabei einen Kurs auf einer Geraden und dann geht es in die Kurven; man sieht den Kurs nicht und fliegt nur mit den Angaben von Tempo, Flugwinkel und Zeit. Ich drehte immer Däumchen auf der Geraden und ging dann unvorbereitet in die Kurve – natürlich mit einem schlechten Ergebnis. Mein Trainer sagte einen Satz, an den ich mich bis heute erinnere: „Wenn du nichts machst, machst du etwas falsch!" Das Gleiche gilt für die Küche. Wenn du anfängst, auf krosse Tofuscheiben in der Pfanne zu starren, und dir langweilig wird, gehe schon mal zum nächsten Arbeitsschritt über – und wenn es nur das banale Abwischen des Arbeitsbretts ist.

AH! In unserer Welt wird vieles immer unnötig verkompliziert, dabei ist doch oft alles sehr einfach: effektiv trainieren und besser werden, mit den hochwertigsten Zutaten gut und lecker kochen, genussvoll schlemmen, gesund werden und bleiben. Die Zeit, die du in der Küche durch eine bessere Performance und optimierte Arbeitsabläufe sparst, kannst du in andere Dinge investieren, die das Leben lebenswert machen – wie zum Beispiel Familie, Freunde oder Sport.

LEAN PRODUCTION
Wie du mit einfachen Schritten Zeit sparst

1. Vorbereitete Zutaten

Du kannst viel Zeit sparen, indem du bestimmte Grundzutaten für die Woche fertig zubereitet hast, wie eine Portion Quinoa, Reis oder Nudeln. Diese Zutaten können einen einfachen Blattsalat zu einer satt machenden Mahlzeit aufwerten. Dazu noch ein würziges Dressing, ein paar halbgetrocknete Tomaten, Gurkenstücke und geröstete Kerne – und es kann losgehen. Pestos und Dressings bereite ich regelmäßig alle paar Tage zu. So habe ich immer etwas da für einen Salat, ein Sandwich oder ein Gemüsegericht. Geröstete Kerne für den Salat oder Kokosflocken für das Frühstück kannst du in größeren Mengen anrösten und anschließend in luftdichte Gefäße füllen. Diesen Arbeitsschritt kann man sich also ebenfalls im Rezept sparen.

2. Taste the waste

Falls du zum Beispiel mal wieder ein Sandwich mit geröstetem Gemüse aus dem Backofen machst und nicht das ganze Gemüse aufisst, kannst du das wunderbar weiterverwenden: gehackt als Topping für einen Salat, püriert als Sandwichpaste oder als Grundlage für eine Suppe. Bleiben Nudeln übrig, nimmst du sie als Grundlage für einen Nudelsalat – einfach ein paar Kräuter dazu, etwas Gemüse und Mayo und schon musst du am nächsten Tag gar nicht so viel Zeit in der Küche verbringen.

3. Ordnung ist das halbe Leben

Wenn du den Überblick behalten und möglichst effizient kochen möchtest, mache es wie die Profis und säubere deinen Arbeitsplatz nach jedem Arbeitsschritt. So reduzierst du die Putzzeit nach dem Kochen. Meine Mutter wird sicher schmunzeln, wenn sie das liest, und sich denken: „Warum schreibt er das? Er kann das ja selbst nicht!" Mama, ich schreibe es als Erinnerung an mich selbst. Beim nächsten Mal räume ich auch bei dir auf nach dem Kochen, gleich nachdem ich ein Nickerchen gemacht und ein paar Körbe geworfen habe – versprochen! Wenn du bis dahin alles aufgeräumt hast, gib mir nicht die Schuld, ich hätte es später ja ganz sicher getan ...

4. Nutze tiefe Temperaturen

Viele Rezepte kannst du in größeren Mengen vorkochen und einfrieren. So hast du auch unterwegs gutes Essen. Suppen kannst du am Vortag zubereiten, dann füllst du sie in einen dichten Mikrowellenbehälter und stellst diesen über Nacht in den Tiefkühler. Nimmst du sie morgens mit, wird die Suppe unterwegs nicht auslaufen. Du kannst sie dann wunderbar in einer Mikrowelle erwärmen. In meinem Tiefkühler habe ich immer Eiswürfel für kalte Drinks, Acai-Püree und andere Fruchtpürees, gefrorene Bananen für ein schnelles Eis, tiefgekühlte Erbsen und Blätterteig.

5. Schnibbelzeit verkürzen

Ein sehr guter Zeitspartipp sind vorgeschnittene Zutaten aus dem Kühlregal oder Tiefkühler – beispielsweise Brokkoliröschen, gehackte Zwiebeln, geraspelte Möhren und geputzter Rosenkohl. Geschmacklich sind die allerdings nicht mit den frischen Originalen vergleichbar. Anders sieht es aus, wenn du Gemüse für den nächsten Tag selbst vorschnibbelst. Auch das spart Zeit, wenn es schnell gehen muss.

6. Benutze gutes Equipment

Kaufe dir gutes, solides Küchenwerkzeug wie Messer, Reiben, Bretter, Töpfe und Co. Mit Billigwerkzeug wirst du weder ein Bild an der Wand anbringen können, was nicht direkt wieder abfällt, noch mit Freude eine leckere Gemüsepfanne hinbekommen.

7. Aufbewahrung

Klare Strukturen in deiner Küche sorgen dafür, dass du schneller und effizienter kochen kannst. Beginne damit, Gewürze, Kräuter und Grundzutaten wie Reis, Müsli, Haferflocken, Mehle, Trockenfrüchte, Nüsse und Amaranth in Gläser zu füllen, die du geordnet und beschriftet in dein Regal stellst. So sparst du dir das Suchen und das Auf- und Zumachen von Plastikverpackungen mit nervigen Gummibändern, wenn es schnell gehen muss.

8. Sprossen- und Kräuterfarm

Um Geld und Zeit zu sparen, ist es sehr hilfreich, wenn du selbst Sprossen und Kräuter ziehst. Das ist nicht nur supergünstig, sondern auch gesund und sorgt für den nötigen Frischekick bei deinen Gerichten. Sprossengefäße findest du im Fachgeschäft, dafür benötigst du dann in deiner Wohnung einen Platz mit viel Licht. Für Kräuter reicht ein einfacher Blumentopf – hier musst du nur an das regelmäßige Gießen denken.

9. Hunger ist ein schlechter Koch

Wir kennen das alle – wir kommen nach Hause und verwüsten im Hungermodus unsere Küche, schieben uns nebenbei sogar noch ein paar Leckereien rein oder naschen unser Essen schon beim Kochen. Möchtest du ein Küchenchaos vermeiden, dessen Beseitigung dich kostbare Zeit kostet, koche vor oder verschiebe das Mittagessen auf den gemütlichen Abend und iss mittags stattdessen einen gesunden Snack.

AH! Solange es unterwegs oft nur Ungesundes gibt, heißt es, vorzusorgen und vegane Schlemmereien in die Schule, das Büro oder die Uni mitzunehmen. Und auch wenn es auf den ersten Blick kompliziert erscheint: Es ist eigentlich ganz einfach und der Genussfaktor ist hoch! Niemand fängt schließlich an, sich bewusst vegan zu ernähren, um dann in der Mensa oder Kantine die traurigen veganen Angebote – meist öltriefende Pommes oder lieblose Salate mit Fertigdressing – in sich reinzustopfen.

ON THE ROAD
Survival of the Vittest

Tipp 1 Möchtest du etwas Warmes, sind im Restaurant gute vegane Kompromisse möglich. Ideal sind italienische Restaurants, denn viele Klassiker dieser Küche – Bruschetta, Pasta mit Tomatensauce oder mit Olivenöl, Knoblauch und Chili oder eingelegtes gegrilltes Gemüse – sind von Haus aus vegan. Ebenfalls ideal sind indische Restaurants. Hier findest du leckere Gemüsecurrys, aromatische Suppen und Reisgerichte. Auch beim Thailänder oder Chinesen wirst du immer fündig. Türkische Lebensmittelläden sind super für Unterwegssnacks wie Couscoussalat, gefüllte Reisblätter, Bohnen- und Petersiliensalate und Antipasti – dazu etwas frisches Fladenbrot und ich bin zufrieden!

Tipp 2 Isst du in anderen Restaurants, wird es passieren, dass Kellner nichts über vegane Gerichte wissen und dir in Butter geschwenkte Nudeln unterjubeln oder dich mit einem Dosen-Obstsalat als Dessert abspeisen. Mache dir das Leben einfach und sage: „Ich bin ein Allergiker, der auf Laktose, Tiereiweiß und Ei mit einem Kollaps reagiert." So sparst du dir auch mangelndes Verständnis, wenn du erklärst, warum dir vegane Ernährung so wichtig ist. Und du wirst zumindest ganz sicher veganes Essen bekommen, denn kein Gastronom möchte gern verklagt werden. Ob es dann schmeckt, ist eine andere Sache.

Tipp 3 Die Tanke ist im Extremfall ein guter Anlaufpunkt für Veganer, zum Beispiel nachts um zwei, wenn man von einer Party nach Hause kommt und der Magen knurrt, oder beim Angriff von Aliens. Neben dem kühlen Sixpack, billigen Pornos und Klatschmagazinen, Motoröl, Kaugummis und Junkfood gibt es hier vegane Snacks wie Studentenfutter, gesalzene Nüsse, einige Kartoffelchips und Flips, Erdnussriegel und zuckerfreie Kaugummis – der Wahnsinn!

Tipp 4 Werde Sandwich-Meister! Oft weichen Sandwiches durch, wenn man sie mit zu feuchten Zutaten wie Tomaten oder Gurken belegt. Sei smart und nimm diese Zutaten separat mit. Bestreiche dein Brot zuerst mit etwas Cashewmus oder Margarine – der Fettfilm schützt das Brot vorm Durchnässen. Um die Umwelt zu schützen, benutze statt Alufolie einfach etwas Brotpapier.

Tipp 5 Tools für unterwegs: Machst du wie ich oft einen Roadtrip, nimm das nötige Equipment mit, sonst musst du dir später alles zusammenschnorren. Wenn ich länger unterwegs bin, habe ich immer Besteck, ein Kochmesser, ein kleines Holzbrett, ein Glas, eine Müslischale, einen flachen Teller, Papierservietten, einen Pürierstab, Matchabesen und -schale, einen Schwamm zum Saubermachen und Grundprodukte wie Cashewmus, herzhafte und süße Aufstriche, Pesto vom Biodealer, Brot, Reiswaffeln, Müslimischungen und Snackriegel dabei. Das alles passt noch problemlos in einen kleinen Karton oder Rucksack. So kannst du dir auf der Reise mit wenigen frischen Zutaten ein super Essen zusammenstellen: Morgens kaufst du nur ein paar Blaubeeren, eine Banane und eine Reismilch und mixt dir mit dem mitgenommenen Müsli dein Frühstück. Für den herzhaften Hunger kaufst du dir eine Tomate und ein paar Sprossen, bestreichst eine Scheibe Brot oder eine Reiswaffel mit etwas Aufstrich und toppst alles mit den frischen Zutaten. Das Ganze schont dein Budget und du sitzt am Ende nicht mit einer teuren Portion Pasta mit Tomatensauce im Restaurant. Übrigens: Es gibt superleckere Tofuvarianten, die man direkt aus der Packung essen kann, zum Beispiel mit Basilikum oder getrockneten Tomaten.

Tipp 6 Die richtige Verpackung: Statt Plastikdosen zu benutzen, schau mal auf diversen Online-Verkaufsplattformen nach Retrodosen, zum Beispiel vom Militär. Alle Dosen, die für die „Vegan to Go"-Fotoshootings verwendet wurden, haben wir auf diese Weise gefunden. Solche Dosen sind ein wahrer Hingucker und bringen dir Coolness beim Mittagspäuschen! Für Suppen eignen sich dagegen auslaufsichere Kunststoffdosen, die einen speziellen Clipverschluss haben. Für Getränke gibt es gut verschließbare Thermodosen oder Behälter aus Alu.

AH! Das Wesentliche habe ich immer dabei: Matcha für den Energiekick, Sandwiches oder fertige Gerichte und Salate für den Hunger zwischendurch. Wichtig ist vor allem, immer gesund und frisch essen zu wollen, dann werden alle Zweifel unbedeutend. Wer sich vor der Halfpipe seinen Matcha mixt oder ein Traumsandwich aus der Metalldose holt, kommt garantiert cooler rüber als einer, der einen Burger auspackt und Mayo aus der Tüte drüberquetscht. Und man kommt ganz schnell mit Leuten ins Gespräch, die manchmal sogar Freunde werden – veganes Essen verbindet!

ON THE ROAD
Survival of the Vittest

Du bist mal wieder on the road in einer fremden Stadt, hast Megahunger und suchst verzweifelt nach einem leckeren Snack. Hier findest du die Dinge, die ich unterwegs esse, ich verrate dir sozusagen meine ganz persönlichen Survival-Tricks. Grundsätzlich ist es gar nicht so schwer, unterwegs lecker vegan zu essen – wenn man weiß, wo man suchen muss. Schau unbedingt auch auf Seiten wie www.happycow.net oder in deiner Restaurant-Bewertungs-App nach veganen Angeboten oder benutze Google Maps und suche nach Worten wie „vegan", „vegetarisch", „Falafel", „indisches Restaurant" etc.

Abkürzungen: B für Biodealer, I für indisches Restaurant, T für türkisches Lebensmittelgeschäft, TI für türkischer Imbiss, WH für Wholefoods (nur USA), S für Supermarkt, J für japanisches Restaurant, JB für Juicebar, RH für Reformhaus, TS für Tankstelle, AR für arabischer Imbiss, IT für italienisches Restaurant, C für chinesisches Restaurant, TH für thailändisches Restaurant, G für griechisches Restaurant, V für vietnamesisches Restaurant, R für normales Restaurant, K für Kantine, FF für Fast-Food-Restaurant, SN für Sandwich-Shop und MX für mexikanisches Restaurant.

Für den süßen Appetit
- Obst wie Bananen, Beeren, Pfirsiche, Äpfel, Beeren (B, S, T, WH)
- Müsliriegel (B, S, RH, TS, WH)
- Nuss-Karamell-Riegel (TS, WH)
- Vegane Biokekse (B, manchmal auch S, RH, WH)
- Vegane Schokolade und Pralinen (B, bei S gibt es fast immer vegane Zartbitterschoki, RH, WH)
- Baklava (T, AR)
- Banane mit Nussmus (B, S, RH, WH)
- Bananenchips mit Erdnussmus (B, S, RH, WH)
- Nussmischungen wie Studentenfutter (B, S, RH, TS, WH)
- Sorbet von der Eisdiele (oft vegan, manchmal mit Ei)
- Amaranth-Pralinen und -Riegel (B)
- Nuss-Frucht-Riegel (B, RH, WH)
- Trockenfrüchte und Nüsse (B, S, T, RH, WH)

Für den herzhaften Hunger

- Brot, Cracker, Reiswaffeln oder Brötchen mit veganem Aufstrich oder veganem Pesto, Tofuwurst, veganem Käse, Räuchertofuscheiben, getoppt mit Sprossen, Gurken, Tomaten etc. (B, R, auch oft im S, WH)
- Konserven wie veganer Eintopf, Bohnen in Tomatensauce, indisches Gemüsecurry etc. (B, R, WH)
- Hummus mit Gemüsesticks wie Sellerie, Paprika, Karotten (B, R, AR)
- Auberginendip (Baba Ghanoush) mit Brot (B, R, AR, WH)
- Petersiliensalat (AR, WH)
- Falafel-Sandwich; dabei beachten, dass die Sesamsauce oft mit Joghurt gemacht wird, dann einfach Hummus als Sauce bestellen (T, AR, WH)
- Gemüsedöner (TI)
- Salzige Nüsse (B, R, S, T)
- Salatzusammenstellung (T, AR, WH)
- Pommes oder Kartoffelspalten mit Ketchup (G, I, R, AR, FF, TS, WH)
- Pasta mit Tomaten- oder Gemüsesauce (G, R, IT, WH)
- Chips wie Kartoffel- und Grünkohlchips (B, R, WH)
- Bruschetta (IT)
- Salate (G, K, R, V, IT, WH)
- Gefüllte Weinblätter (T, AR, WH)
- Vegane Tortillas mit Salat, Bohnen, Guacamole, scharfer Salsa etc. (MX)
- Tacochips mit Guacamole und Salsa (MX)
- Reis mit Bohnen, Guacamole, Salsa etc. (MX)
- Bohnensalat oder gebackene Bohnen, Kichererbsensalat, dazu Fladenbrot (G, T, WH)
- Eingelegtes gegrilltes Gemüse (T, AR, IT, WH)
- Gemüsecurrys (I)
- Samosas (I)
- Reis mit Gemüse und/oder Tofu (C, I, V)
- Gebratene Nudeln mit Gemüse (C, V, TH)
- Sandwiches mit angebratenem Tofu, Salat, veganer Mayo etc. (SN, WH)
- Nudelsuppen mit Gemüse wie vietnamesische Pho-Suppe (V)
- Pizza: Pizza mit Gemüse bestellen und statt Käse mit Pesto oder etwas Olivenöl und Kräutern (IT)
- Frühlings- und Sommerrollen (C, V)
- Sushi mit Gemüse und Avocado (J)
- Vollkornwraps, Rohkostwraps mit Gemüse, Pesto etc. (in manchen JBs, WH)

DIE 10 GRUNDREGELN
Damit veganes Essen Spaß macht

1. Versuche, auf saisonale Produkte zu achten. Genieße Erdbeeren, Spargel und andere Zutaten, wenn sie Saison haben, statt im tiefsten Winter beispielsweise eine Torte mit Erdbeeren zu backen, die wie rote Wasserdrops schmecken. Sommerzeit ist Erdbeertortenzeit – wenn der Biohof nebenan die beste Ware anbietet. Damit stärkst du die Ökobauern deiner Region und bekommst frische Vitamine.

2. Achte beim Einkauf auf die Herkunft. Greife lieber zum Apfel aus deiner Region statt zu dem aus dem Niemandsland. Produkte, die mehr Meilen auf dem Buckel haben als Vielflieger, weisen eine katastrophale Ökobilanz auf.

3. Iss abwechslungsreich und bunt und versuche, immer mindestens drei Farben in deinem Essen zu haben. Die Farbmoleküle deiner Lebensmittel sind oft sehr gesunde Moleküle, die dich vor verschiedenen Krankheiten schützen können. So etwa die Anthocyane, die die Blaubeere lila machen, oder das Lycopin, das für das Rot der Tomate verantwortlich ist.

4. Kaufe am besten immer beim Biodealer deines Vertrauens oder im Reformhaus ein. Dort bekommst du pestizidfreie Produkte, oft auch aus fairem Handel, und beste Ware. 40.000 Menschen sterben laut Terre des Hommes pro Jahr weltweit an den Auswirkungen von Pestiziden, die unter anderem mit diversen Krebserkrankungen in Verbindung gebracht werden.

5. Unterstütze fairen Handel, indem du auch Fair-Trade-Produkte kaufst. Du hilfst so Menschen, die für uns die Lebensmittel anbauen, und sicherst ihren Lebensunterhalt. Eine Schokolade mit Kakao aus Kinderarbeit schmeckt einfach nicht.

6. Kaufe keine Produkte aus Massentierhaltung. Wer sich vegan ernährt, tut das sowieso nicht. Wenn du allerdings nicht komplett vegan essen möchtest, tue dir und den Tieren den Gefallen und achte darauf, woher dein Fleisch oder Fisch kommt.

7. Vermeide konsequent Industrie- und Fertigprodukte! Beispiele für die Perversion des Denkens bei industriellen Produkten gibt es wie Sand am Meer, Ausnahmen dagegen nur wenige. Nehmen wir einen banalen Streuselkuchen aus dem Supermarktregal. Die Entwickler solcher Frankensteinprodukte möchten nicht, dass der Streuselkuchen gut für dich ist. Sie optimieren ihn daraufhin, dass er nicht an der Packung festklebt, ewig lange aussieht wie am ersten Tag und trotz Feuchtigkeit nicht durchweicht. Das alles wird durch Zutaten erreicht, die ich nicht mal meinen schlimmsten Feinden vorsetzen würde: Stabilisatoren, Sorbitsirup, Glycerin, Sahnepulver, Glukosesirup, Invertzuckersirup, Alkohol, modifizierte Stärke, Emulgatoren: Mono- und Diglyceride von Speisefettsäuren, Aroma, Apfelsäure/Citronensäure, Dinatriumdiphosphat und Natriumhydrogencarbonat, Trennmittel: Calciumsalze von Speisefettsäuren. Das alles ist ein Auszug aus einer einzigen echten Zutatenliste. Niemand weiß genau, was so ein Chemiecocktail im Körper anrichtet.

8. Werde kein Junkfood-Veganer. Sojapudding, vegane Schokoriegel, Seitanschnitzel und zuckrige Shakes sind zwar lecker und man kann sie sich auch ab und zu gönnen, sie setzen aber genauso an wie normales Fast Food. Das Ganze ist sicherlich interessant, wenn du in einer Anfangsphase mal alles ausprobieren möchtest, was es so auf dem Markt gibt.

9. Lasse dich nicht von Oberflächlichkeiten blenden und kaufe nicht nach der Optik eines Produkts. In unserer Zeit muss alles immer die perfekten Maße haben; das ist das Brainwashing der Medien. Brich aus diesem Einheitsbreidenken aus und nimm auch mal einen Apfel mit einer kleinen Druckstelle, eine krumme Zucchini oder eine weniger schöne Aubergine. Das ist die Natur – und die schmeckt man auch!

10. Lasse alle paar Monate deinen B_{12}-Spiegel checken. Ein regelmäßiger Check ist obligatorisch für jeden pflichtbewussten Veganer, denn das Vitamin B_{12} kommt nicht in Pflanzen vor. Am besten nimmst du wie ich jeden Tag eine Orthomol-Veg-One-Kapsel. Veg One ist ein rein veganes Produkt mit hochwertigen Inhaltsstoffen, die kritisch werden könnten, wenn man sich nicht ständig ausgewogen ernährt. Dazu zählen eben auch die Vitamine D, B_2 und B_6, die Omega-3-Fettsäuren, Zink und Eisen, die aber auch bei einem Normalesser fehlen können.

REZEPTE

NEW BEGINNING

TOAST „VENICE SKATER"

**ZUTATEN für 2 Personen
(3 Toasts)**

Für den Teig

240 g Hafersahne
1 TL gemahlene Vanille
1 TL Zimt
1 Prise Meersalz
ca. 2 gestr. EL Rohrzucker (ca. 24 g)
50 g Dinkelmehl (Type 630)

Für die Toasts

6 Scheiben Weißbrot (0,5 cm dick)
90 g vegane Nuss-Nugat-Creme
3 EL Biomargarine

Für das Obst

1 Kiwi
50 g Rote Johannisbeeren
100 g Erdbeeren
50 g schlagfähige vegane Sahne
(am besten eine etwas größere
Menge aufschlagen, die kleine
Menge lässt sich schlecht
schlagen)
4 EL Ahornsirup

ZUBEREITUNG ca. 30 Minuten

Die **Hafersahne** mit **Vanille, Zimt, Salz, Zucker** und **Mehl** mit dem Schneebesen zu einem glatten Teig vermengen.
3 **Brotscheiben** mit **Nuss-Nugat-Creme** bestreichen, die restlichen **Scheiben** darauflegen.
1 EL **Margarine** in einer kleinen Pfanne zerlassen und je ein zugeklapptes Toast durch den Teig ziehen. Auf jeder Seite ca. 3 Minuten bei mittlerer Hitze kross braten. Mit den anderen Toasts genauso verfahren.
Die **Kiwi** schälen und in Achtel schneiden. Die **Johannisbeeren** von den Stielen streifen und waschen. Die **Erdbeeren** waschen, Strunk entfernen und die Früchte in Viertel schneiden. Die **Sahne** aufschlagen. Die Toasts diagonal halbieren und auf 2 Teller verteilen, etwas Sahne darübergeben und mit **Ahornsirup** und Früchten garnieren.

AH! Je nach Größe der Toasts reichen auch zwei Scheiben Brot pro Person, aber ich gehe lieber auf Nummer sicher. Die Schokoladenfüllung im Kern ist der Knaller und das Vanille- und Zimtaroma des Frittierteigs einfach göttlich!

CHIA-VANILLE-PUDDING MIT MANGOCREME UND ERDBEEREN

ZUTATEN für 2 Personen

Für die Chia-Creme

6 EL Chia-Samen (80 g)
440 ml Reismilch
2 EL Agavendicksaft
½ TL gemahlene Vanille

Für die Mangoschicht

1 Mango (netto ca. 220 g)

Für das Topping

150 g Erdbeeren
10 g geschälte, ungesalzene
Pistazien

ZUBEREITUNG ca. 40 Minuten

Die **Chia-Samen** in eine Schüssel geben, **Reismilch, Agavendicksaft** und **Vanille** dazugeben und mit einem Schneebesen kurz verrühren, damit die Samen später nicht verkleben. Im Kühlschrank 25–30 Minuten quellen lassen. In der Zwischenzeit die **Mango** schälen und der Länge nach aufschneiden. Das Fruchtfleisch dicht am Kern entlang abschneiden und mit einem Pürierstab oder im Mixer pürieren. Die **Erdbeeren** waschen, abtropfen lassen und den Strunk entfernen. Die **Pistazien** grob hacken. Das Mangopüree in 2 Gläser geben, die Chia-Creme darüber verteilen und mit Erdbeeren und Pistazien toppen.

AH! Chia-Samen findest du beim Biodealer oder im Internet. Sie sind sehr gesund, enthalten sehr viele Omega-3-Fettsäuren bei geringen Kalorien. Rühr ab und an um, sonst verkleben sie. Ralf, mein Verleger, war sehr interessiert an meinem Rezept und meinte: „Deinen Froschlaich möchte ich demnächst probieren!" Ganz so hätte ich das nun aber nicht gesagt …

ATTILAS ACAI-BOWL

ZUTATEN für 2 Bowls

400 g Acai-TK-Fruchtpüree

3 Bananen

250 ml Mandelmilch

50 g Agavendicksaft

200 g Crunch-Müsli

(Rezept siehe Seite 47)

30 g Mango (netto)

30 g Ananas (netto)

110 g Blaubeeren

110 g Himbeeren

50 g Erdbeeren

½ Granatapfel

20 g Kokosflocken

AH! Mit 102.700 haben Acai-Beeren einen der höchsten ORAC-Werte – und weisen damit eine sehr hohe Konzentration an Antioxidantien auf. Acai-TK-Fruchtpüree gibt es beim gut sortierten Biodealer. Dieses Frühstück gibt dir pure Power für den Tag!

ZUBEREITUNG ca. 20 Minuten

Die **Acai-Pads** aus dem Tiefkühler nehmen, kurz mit warmem Wasser abspülen und mit einem scharfen Messer in der Mitte durchschneiden. Die **Bananen** schälen. Das Acai-Fruchtpüree aus der Verpackung drücken und in einem Mixer mit **Mandelmilch**, **Agavendicksaft** und 1 **Banane** pürieren, bis es cremig ist.

Das Püree in Schalen geben, einen Teil des **Crunch-Müslis** einrühren, den Rest darüberstreuen. Die **Mango** und die **Ananas** schälen und in kleine Würfel schneiden. Die restlichen **Bananen** in Scheiben schneiden.

Blaubeeren, Himbeeren und **Erdbeeren** vorsichtig waschen und abtropfen lassen. Von den Erdbeeren den Strunk entfernen und das Fruchtfleisch vierteln.

Eine große Schüssel mit Wasser füllen und den halben **Granatapfel** unter Wasser auseinanderbrechen. Die Kerne sinken dabei auf den Boden, das helle, ungenießbare Fruchtfleisch steigt an die Oberfläche. Das Fruchtfleisch mit einem Sieb abfischen, den Rest der Schüssel durch ein Sieb gießen und die Kerne sammeln.

Den Acai-Bowl mit den Früchten und den **Kokosflocken** toppen.

NUSS-NUGAT-AUFSTRICH „BERLIN DREAM"

ZUTATEN für 1 Glas (500 ml)
70 g Zartbitterschokolade
(50 % Kakaogehalt)
200 g Haselnussmus
200 g Biomargarine
90 g Puderzucker
1 gestr. TL gemahlene Vanille
1 Prise Meersalz

ZUBEREITUNG ca. 15 Minuten plus ca. 20 Minuten Kühlzeit
Die **Schokolade** in einem Wasserbad schmelzen. Man braucht nur 60 g, aber weil immer etwas am Topf kleben bleibt, nimmt man besser 70 g.
Das **Haselnussmus** mit **Margarine, Puderzucker, Vanille** und **Salz** in einen Mixer geben und cremig pürieren. 60 g geschmolzene Schokolade dazugeben und erneut durchmixen.
Die Masse in das Glas füllen und im Tiefkühler ca. 20 Minuten kühl stellen.
Dann aufs Lieblingsbrot streichen und genießen.

AH! Nimm am besten eine vegane Biomargarine, die neutral oder – noch besser – leicht buttrig schmeckt. Bewahre den Aufstrich unbedingt im Kühlschrank auf. Wirklich sehr lecker! Und man schmeckt fast keinen Unterschied zur gekauften Variante.

SUPERCRUNCH-MÜSLI MIT CHIA

**ZUTATEN für ca. 750 g
(7–8 Portionen)**
500 g grobe Haferflocken
140 g Pekannüsse
2 ½ TL Zimt
2 ½ TL gemahlene Vanille
85 ml Olivenöl
240 g Agavendicksaft
60 g Chia-Samen
1 TL schwach entöltes Kakaopulver
50 g Kokosraspeln
2 Prisen Meersalz

**ZUBEREITUNG ca. 5 Minuten plus
ca. 45 Minuten Backzeit**
Den Backofen auf 150 °C Ober-/Unterhitze (130 °C Umluft) vorheizen. Alle **Zutaten** in eine große Schüssel geben und gut durchmengen. Gleichmäßig auf einem mit Backpapier ausgelegten Backblech verteilen und auf der mittleren Schiene im Ofen ca. 25 Minuten backen. Dann einmal umrühren, wieder gleichmäßig verteilen und weitere 20 Minuten backen.
Anschließend aus dem Ofen nehmen und abkühlen lassen, dabei wird das Müsli crunchy.

AH! Chia-Samen waren bei den Azteken ein Grundnahrungsmittel. Sie enthalten Antioxidantien, Omega-3-Fettsäuren, viel Eiweiß, Vitamine und Mineralstoffe. Der Mix ist super für unterwegs – ich habe bei meinen Roadtrips immer mehrere Metallboxen mit Supercrunch-Müsli dabei. Einfach nur etwas Reismilch und ein paar Bananenscheiben dazu – fertig ist das Powerfrühstück!

FRÜHSTÜCKSBROT MIT AVOCADO-APFEL-TOPPING

**ZUTATEN für 2 Personen
(4 Brotscheiben)**
½–1 Avocado
½–1 Apfel
1 EL Pinienkerne
4 Scheiben Vollkornbrot
1 kleine Handvoll Rettichsprossen
(alternativ andere Sprossen)
1 EL Kürbiskernöl
Meersalz
schwarzer Pfeffer aus der Mühle

ZUBEREITUNG ca. 10 Minuten
Die **Avocado** entkernen, das Fruchtfleisch mit einem Löffel herauslösen und in dünne Scheiben schneiden. Den **Apfel** entkernen und in feine Scheiben schneiden. Die **Pinienkerne** ca. 3 Minuten in der Pfanne bei mittlerer bis starker Hitze anrösten.
Avocado- und Apfelscheiben dachziegelartig auf die **Brotscheiben** schichten. Mit **Rettichsprossen**, Pinienkernen und **Kürbiskernöl** toppen und mit **Salz** und **Pfeffer** würzen.

AH! Ein herzhafter, leicht süßlich schmeckender Snack, der superschnell zubereitet ist. Er liefert dir wichtige Stoffe, unter anderem das Vitamin E der Avocado, die Vitalstoffe des Apfels und das Protein der Sprossen. Unterwegs einfach Apfel und Avocado unverarbeitet dabeihaben und dann on the spot aufschneiden.

SÜSSE AUFSTRICHE

A. PEANUT BUTTER BLACKBERRY (PBB)

ZUTATEN für ca. 400 g

240 g Erdnussmus Crunchy
40 g Agavendicksaft
120 g Brombeeren

ZUBEREITUNG ca. 10 Minuten

Das **Erdnussmus** mit dem **Agavendicksaft** in einer Schüssel vermengen. Die **Brombeeren** vorsichtig waschen, abtropfen lassen und mit einer Gabel unterrühren, sodass eine cremige, gleichmäßige Masse entsteht.

B. GRANATAPFELKONFITÜRE

ZUTATEN für ca. 650 g

4 Granatäpfel (brutto ca. 1 kg, netto ca. 570 g)
1 ½ gehäufte TL Agar-Agar (6 g)
160 g Agavendicksaft
240 g Himbeeren

ZUBEREITUNG ca. 25 Minuten

Die **Granatäpfel** wie eine Orange am Rand einschneiden. Eine große Schüssel mit Wasser füllen und die Granatäpfel unter Wasser auseinanderbrechen. Die Kerne sinken dabei auf den Boden, das helle, ungenießbare Fruchtfleisch steigt an die Oberfläche. Das Fruchtfleisch mit einem Sieb abfischen, den Rest der Schüssel dann in ein Sieb gießen und die Kerne sammeln.
Die Granatapfelkerne in einen starken Mixer geben und pürieren. Anschließend durch ein feines Sieb passieren. Den entstandenen Granatapfelsaft im Mixer mit **Agar-Agar, Agavendicksaft** und den **Himbeeren** pürieren. In einem kleinen Topf unter Rühren aufkochen und bei mittlerer Hitze 3–4 Minuten unter ständigem Rühren köcheln lassen.
In ein Marmeladenglas füllen und abkühlen lassen.

C. KIRSCH-ZIMT-KONFITÜRE

ZUTATEN für ca. 600 g

500 g Kirschen (netto ca. 350 g)
60 ml Kirschsaft
1 TL Agar-Agar (4 g)
1 TL Zimt
150 g Agavendicksaft

ZUBEREITUNG ca. 30 Minuten

Die **Kirschen** waschen und entkernen. Den **Kirschsaft** mit **Agar-Agar, Zimt** und **Agavendicksaft** pürieren. Die Kirschen dazugeben und nur grob mixen, sodass sie noch etwas stückig bleiben. Alles in einem kleinen Topf unter Rühren aufkochen und bei mittlerer Hitze 3–4 Minuten unter ständigem Rühren köcheln lassen. In ein Marmeladenglas füllen und abkühlen lassen.

HERZHAFTE AUFSTRICHE

A. KRÄUTERBUTTER
ZUTATEN für 220 g
3 Knoblauchzehen
200 g Biomargarine
4 EL gehackte Petersilie
1 EL Schnittlauchröllchen
1 TL gehackter Dill
½ TL Meersalz
schwarzer Pfeffer aus der Mühle

ZUBEREITUNG ca. 12 Minuten
Den **Knoblauch** schälen und durch die Knoblauchpresse drücken oder fein hacken. Die **Margarine** mit **Kräutern** und Knoblauch vermengen und mit **Salz** und **Pfeffer** kräftig abschmecken.

B. KICHERERBSEN-AUFSTRICH MIT GARAM MASALA
ZUTATEN für 320 g
240 g gekochte Kichererbsen
(Glas oder Dose; Abtropfgewicht)
1 große Zwiebel (brutto ca. 160 g)
½ rote Paprikaschote
80 g Biomargarine
1 gestr. TL Garam Masala
(indische Gewürzmischung)
Meersalz

ZUBEREITUNG ca. 12 Minuten
Die **Kichererbsen** in einem Sieb kurz waschen und abtropfen lassen. Die **Zwiebel** schälen und fein hacken. Die **Paprika** waschen, entkernen und fein hacken.
Die Hälfte der **Margarine** in einer kleinen Pfanne zerlassen. Zwiebeln und Paprika in der Pfanne ca. 3 Minuten bei mittlerer Hitze goldgelb anbraten. **Garam Masala** dazugeben und weitere 3 Minuten braten lassen. Kichererbsen mit dem Pürierstab oder im Mixer grob pürieren. Den Pfanneninhalt und den Rest der **Margarine** dazugeben und mit **Salz** würzen.

C. KARTOFFEL-ROSMARIN-AUFSTRICH
ZUTATEN für 400 g
1 große Zwiebel (brutto ca. 160 g)
70 g Biomargarine
½ TL gehackte Rosmarinnadeln
4 gekochte Kartoffeln (brutto ca. 400 g)
Meersalz
schwarzer Pfeffer aus der Mühle
½ Bund Schnittlauch

ZUBEREITUNG ca. 12 Minuten
Die **Zwiebel** schälen und fein hacken. Die Hälfte der **Margarine** in einer kleinen Pfanne zerlassen. Die Zwiebel mit dem gehackten **Rosmarin** in der Pfanne ca. 5 Minuten bei mittlerer Hitze goldgelb anbraten. Die **Kartoffeln** pellen und zerstampfen. Den Pfanneninhalt und die restliche **Margarine** zu den Kartoffeln geben und alles gut vermengen. Mit **Salz** und **Pfeffer** abschmecken. Den **Schnittlauch** waschen, trocken schütteln, fein hacken und unterheben.

PROTEINRIEGEL „IRON WILL"

ZUTATEN für ca. 9 Stück

30 g Kokosöl

30 g Kakaobutter

260 g Erdnussmus Crunchy

60 g Zartbitterschokolade
(50 % Kakaogehalt)

300 g Müsli nach Wahl

60 g veganes Vanille-Proteinpulver
(Internet)

80 g Agavendicksaft

1 gestr. TL gemahlene Vanille

1 gestr. TL Zimt

ZUBEREITUNG ca. 15 Minuten plus ca. 25 Minuten Kühlzeit

Kokosöl, Kakaobutter und **Erdnussmus** zusammen in einem Wasserbad schmelzen. Die **Schokolade** klein hacken. Das **Müsli** mit **Vanille-Proteinpulver, Agavendicksaft, Vanille** und **Zimt** vermengen. Nun die flüssigen Zutaten dazugeben und alles zu einem glatten Teig verarbeiten. Dann die klein gehackte Schokolade unterheben.

Den Teig auf eine mit Backpapier belegte Arbeitsfläche geben und zu einem ca. 1 cm dicken Rechteck formen. Dafür ein zweites Backpapier darüberlegen und den Teig mit einem Nudelholz ausrollen.

Für ca. 25 Minuten in den Tiefkühler legen und anschließend in Riegelform schneiden. Die Riegel lassen sich am besten im Kühlschrank aufbewahren. To go einfach in Back- oder Butterbrotpapier wickeln.

AH! Lagere die Riegel am besten kühl, so bleiben sie schön fest. Der Geschmack hängt auch ein wenig davon ab, welches Proteinpulver du nimmst. Such dir am besten eines, das roh, bio und ohne Soja ist.

KOKOSMILCHREIS MIT GRANATAPFEL UND MANGO

ZUTATEN für 2 Personen

400 ml Kokosmilch
150 ml Reismilch
130 g Rundkornreis
(Milchreissorte)
3 EL Agavendicksaft
1 Granatapfel
½ Mango
30 g Kokoschips

ZUBEREITUNG ca. 30 Minuten

Kokosmilch, Reismilch und **Rundkornreis** in einen Topf geben und aufkochen. Unter häufigem Rühren bei geringer Temperatur 20 Minuten köcheln lassen. Anschließend mit ca. 2 EL **Agavendicksaft** süßen.

Den **Granatapfel** oben wie eine Orange einschneiden. Eine große Schüssel mit Wasser füllen und den Granatapfel unter Wasser auseinanderbrechen. Die Kerne sinken dabei auf den Boden, das helle, ungenießbare Fruchtfleisch steigt an die Oberfläche. Das Fruchtfleisch mit einem Sieb abfischen, den Rest aus der Schüssel in ein Sieb gießen und die Kerne heraussammeln.

Die **Mango** schälen und das Fruchtfleisch in feine Scheiben schneiden. Die **Kokoschips** 3 Minuten bei mittlerer bis starker Hitze in einer Pfanne anrösten.

Ein paar Granatapfelkerne in ein Glas geben und eine Schicht Milchreis darübergeben. Das Ganze zweimal wiederholen. Mit Kokoschips, Mangostücken und dem restlichen **Agavendicksaft** toppen.

AH! Du kannst den Reis am Vorabend kochen und über Nacht in den Kühlschrank stellen, denn kühl schmeckt er auch super. Am nächsten Morgen einfach ein wenig Reismilch dazugeben, damit er wieder etwas flüssiger wird.

DAILY DELIGHTS

SOJAGYROS MIT WILDREISMISCHUNG UND ZAZIKI

ZUTATEN für 2 Personen

1 TL Gemüsebrühepulver
1 gestr. TL Meersalz
2 Lorbeerblätter
150 g getrocknetes Soja-
geschnetzeltes
50 g Biomargarine
½ TL edelsüßes Paprikapulver
1 gestr. TL Grillgewürz (Bioladen)
1 EL Sojasauce
¼ TL Agavendicksaft
Meersalz
schwarzer Pfeffer aus der Mühle

Für den Reis

200 g Wildreismischung
Meersalz

Für das Zaziki

½ Salatgurke (netto ca. 210 g)
5 Minzeblättchen
1 Knoblauchzehe
150 g Sojajoghurt
¼ EL Weißweinessig
2 EL Olivenöl
Meersalz
schwarzer Pfeffer aus der Mühle

Für die Deko

Tomatenviertel
Gurkenstreifen
einige Stängel Petersilie

ZUBEREITUNG ca. 50 Minuten

Den **Reis** nach Packungsanweisung in leicht **gesalzenem** Wasser kochen.
600 ml Wasser im Wasserkocher aufkochen und in eine große Schüssel geben. **Brühe, Salz** und **Lorbeerblätter** damit vermischen. Die **Soja-schnetzel** dazugeben, mit einem Teller oder etwas Ähnlichem leicht unter Wasser drücken und 20 Minuten einweichen. Anschließend durch ein Sieb gießen und die Sojaschnetzel mit den Händen ausdrücken.
Die **Margarine** in einer Pfanne zerlassen und die Sojaschnetzel bei mittlerer bis starker Hitze 6–8 Minuten anbraten, sodass sie schön kross werden. **Paprikapulver, Grillgewürz, Sojasauce** und **Agavendicksaft** dazugeben, alles vermengen und mit **Salz** und **Pfeffer** abschmecken.
Für das Zaziki die **Gurke** waschen, längs halbieren und mit einem Teelöffel entkernen. Anschließend fein reiben. Die **Minzeblättchen** waschen und fein hacken. Die **Knoblauchzehe** schälen und mit einer Knoblauchpresse in eine Schüssel drücken. Geriebene Gurke, Minze, **Sojajoghurt, Essig** und **Olivenöl** hinzufügen, umrühren und mit **Salz** und **Pfeffer** abschmecken.
Alles mit **Gurkenstreifen, Tomatenvierteln** und **Petersilie** garniert servieren.

AH! Diese Sojastreifen findest du online oder beim Biodealer. Wichtig für den Geschmack ist, sie in einer würzigen Brühe einzulegen und danach das Ausdrücken nicht zu vergessen, sonst werden sie leicht wässrig. Lässt du sie nach dem Braten etwas abkühlen, wird die Konsistenz noch besser. Dazu passt – wie im Rezept – Reis oder auch einfach ein fluffiges Brot mit etwas Zaziki und Tomate.

GEMÜSELASAGNE MIT TOMATENSAUCE UND MANDELCREME

ZUTATEN für 2 Personen

1 Aubergine (brutto ca. 200 g)
1 Zucchini (brutto 160 g)
½ rote Paprikaschote
(brutto ca. 120 g)
1 rote Zwiebel
3 EL Olivenöl
Meersalz
schwarzer Pfeffer aus der Mühle
6 Lasagneplatten

Für die Tomatensauce

1 Zwiebel
3 Knoblauchzehen
600 g Tomaten
3 EL Olivenöl
1 TL getrockneter Oregano
40 g Tomatenmark
½ EL Agavendicksaft
Meersalz
schwarzer Pfeffer aus der Mühle
1 Bund Basilikum

Für die Mandelcreme

50 g weißes Mandelmus
Meersalz
schwarzer Pfeffer aus der Mühle

AH! Du hast hier vier Komponenten:
Du brätst das Gemüse an, machst eine
schnelle Tomatensauce, bereitest die
Mandelcreme zu und schichtest die
Platten. Es liest sich kompliziert, aber
es ist ein überschaubares Rezept.
Mach am besten eine größere Portion.
Lasagne kannst du super am nächsten
Tag essen und auch gut mitnehmen.

ZUBEREITUNG ca. 35 Minuten plus 60 Minuten Backzeit

Aubergine, Zucchini und **Paprika** waschen. Die Aubergine in Scheiben und die Scheiben in Viertel schneiden. Die Zucchini längs halbieren und die Hälften in Scheiben schneiden. Die Paprika entkernen und in 1 cm lange Stücke schneiden. Die **Zwiebel** schälen, vierteln und in grobe Stücke schneiden.

Olivenöl in einer Pfanne erhitzen und das Gemüse darin bei mittlerer bis starker Hitze ca. 5 Minuten anbraten. Mit **Salz** und **Pfeffer** würzen.

Den Backofen auf 220 °C Ober-/Unterhitze (200 °C Umluft) vorheizen.

Für die Tomatensauce **Zwiebel** und **Knoblauch** schälen und beides fein hacken. Die **Tomaten** waschen und in kleine Stücke schneiden. Das **Olivenöl** in einem Topf erhitzen. Die Zwiebeln darin ca. 3 Minuten bei mittlerer Hitze anbraten, dann den Knoblauch dazugeben und weitere 2 Minuten braten. Tomaten und **Oregano** dazugeben und 4 Minuten kochen. Anschließend **Tomatenmark** und **Agavendicksaft** dazugeben, gut umrühren und mit **Salz** und **Pfeffer** abschmecken. **Basilikum** waschen, die Blättchen abzupfen, grob hacken und vorsichtig unter die Sauce heben.

Für die Mandelcreme das **Mandelmus** mit 40 ml Wasser vermengen und kräftig mit **Salz** und **Pfeffer** abschmecken. Etwas Tomatensauce in eine kleine Auflaufform geben, 2 Nudelplatten darauflegen, dann Gemüse darauf verteilen und danach etwas Sauce. Wieder 2 Platten auflegen und den ganzen Vorgang zweimal wiederholen. Mit Alufolie abdecken und 50 Minuten backen. Aus dem Ofen nehmen, die Mandelcreme gleichmäßig auf der Lasagne verteilen und ca. 10 Minuten weiterbacken, bis die Mandelcreme leicht Farbe annimmt. Etwas abkühlen lassen und servieren.

TORTELLINISALAT MIT OLIVEN, TOMATEN, KÜRBISKERNEN UND KRÄUTERN

ZUTATEN für 2 Personen
250 g Tortellini mit Gemüsefüllung
Meersalz
70 g grüne Oliven in Lake
(ohne Stein)
70 g Kalamata-Oliven in Öl
(ohne Stein)
60 g getrocknete Tomaten in Öl
(abgetropft)
½ Bund Basilikum
½ Bund Petersilie
20 g Kürbiskerne
1 EL Olivenöl
schwarzer Pfeffer aus der Mühle

ZUBEREITUNG ca. 25 Minuten
Die **Tortellini** in kochendem **Salzwasser** nach Packungsanweisung 8–10 Minuten al dente kochen; sie benötigen oft etwas länger als Spaghetti. Die **Oliven** abtropfen lassen und in feine Ringe schneiden. Die **Tomaten** im Mixer pürieren oder sehr fein mit einem Messer hacken. Die **Kräuter** waschen, trocken schütteln, die Blättchen abzupfen und fein hacken. Die **Kürbiskerne** in einer Pfanne ohne Öl 3 Minuten bei starker Hitze rösten. Die Tortellini mit Oliven, Tomaten, Kräutern, Kürbiskernen und **Olivenöl** vermengen und mit **Salz** und **Pfeffer** würzen.

AH! Vegane Tortellini findest du beim Biodealer. Es gibt sie frisch oder getrocknet, wobei die frischen oft besser schmecken. Oft sind sie mit Pilzen oder Gemüse gefüllt.

SPAGHETTI ALL'AVOCADO

ZUTATEN für 2 Personen
250 g Spaghetti (alternativ
Vollkornreis-Spaghetti; Stufe 2)
Meersalz
2 Avocados (brutto ca. 500 g)
1 EL frisch gepresster Zitronensaft
schwarzer Pfeffer aus der Mühle
½ Bund Basilikum
½ rote Chilischote
2 Knoblauchzehen
2 EL Olivenöl
20 g geröstete Haselnüsse

ZUBEREITUNG ca. 30 Minuten
Die **Spaghetti** in kochendem **Salzwasser** 8–10 Minuten
nach Packungsanweisung al dente kochen.
Anschließend durch ein Sieb abgießen und kurz mit
kaltem Wasser abschrecken.
Die **Avocados** halbieren, entkernen, das Fruchtfleisch
mit einem Löffel herauslösen und mit dem **Zitronensaft**
im Mixer oder mit dem Pürierstab cremig pürieren. Mit
Salz und **Pfeffer** abschmecken.
Das **Basilikum** waschen, die Blättchen abzupfen (einen
kleinen Teil für die Deko aufheben), in feine Streifen
schneiden und unter die Avocadocreme heben.
Die **Chilischote** waschen, halbieren, entkernen und fein
hacken. Den **Knoblauch** schälen und in feine Scheiben
schneiden. Das **Olivenöl** in einer kleinen Pfanne oder
einem Topf erhitzen. Den Knoblauch darin 1–2 Minuten
anschwitzen – er darf nicht braun werden, sonst wird er
bitter. Dann den Knoblauch herausnehmen und in eine
Schüssel geben.
Die **Haselnüsse** grob hacken. Die Pasta mit Avocadocreme und Knoblauch in die Schüssel geben, vermengen
und mit **Salz** und **Pfeffer** abschmecken. Mit Chili, Hasel-
nüssen und Basilikum bestreuen.

AH! Ein ganz schnelles Gericht –
und gut zum Mitnehmen! Koche
die Pasta einfach vor und bereite
die Avocadocreme zu. Damit sie
frisch bleibt, lege ein paar Zitronenscheiben in den Behälter. Dann
auspacken und vermengen. Cremig,
würzig und köstlich!

SAFTIGE SEITANBULETTEN MIT CASHEW-SENF-DIP

ZUTATEN für 5–6 Buletten

2 große Zwiebeln (brutto ca. 240 g)

40 g Champignons (1–2 mittelgroße)

2 getrocknete Tomaten in Öl
(abgetropft)

2 ½ EL Biomargarine

Meersalz

schwarzer Pfeffer aus der Mühle

200 g Seitan (fertig gekocht)

40 g Senf

1 TL Johannisbrotkernmehl (13 g)

2 EL gehackte Petersilie

½ TL getrockneter Majoran

1 TL Paprikapulver
(edelsüß oder rosenscharf)

50 g feine Semmelbrösel
(Paniermehl)

2 Rosmarinzweige

Für den Cashew-Senf-Dip

1 Handvoll frische
Petersilienblättchen

110 g mittelscharfer Senf

70 g Cashewmus

30 g Reissirup

Meersalz

schwarzer Pfeffer aus der Mühle

Zum Servieren

ein paar Vollkornbrotscheiben

Biomargarine

1 EL Schnittlauchröllchen

ein paar Radieschen

ZUBEREITUNG ca. 40 Minuten

Zwiebeln schälen und fein hacken. **Champignons** putzen und fein hacken. **Getrocknete Tomaten** ebenfalls fein hacken.

1 EL **Margarine** in einer Pfanne erhitzen und die Zwiebeln darin 4 Minuten bei mittlerer Hitze anbraten. Die Champignons dazugeben und weitere 5 Minuten braten, mit **Salz** und **Pfeffer** würzen. Den **Seitan** durch den Fleischwolf drehen oder mit einem Mixer fein zerkleinern. Mit **Senf, Johannisbrotkernmehl, Petersilie, Majoran, Paprika**, 70 ml Wasser, **Semmelbröseln**, Tomaten, Champignons und Zwiebeln in eine Schüssel geben, gut durchmixen und kräftig mit **Salz** und **Pfeffer** würzen. Anschließend mit den Händen kräftig durchkneten und 5–6 Buletten formen.

Die restliche **Margarine** in einer Pfanne bei mittlerer Hitze erhitzen und die Buletten mit den **Rosmarinzweigen** auf jeder Seite ca. 4 Minuten anbraten, dann auf einem mit Küchenpapier ausgelegten Teller abkühlen lassen.

Für den Dip die **Petersilie** waschen, trocken tupfen und fein hacken. Den **Senf** mit **Cashewmus** und **Reissirup** cremig rühren. Petersilie unterheben und mit **Salz** und **Pfeffer** abschmecken.

Dazu **Margarinebrot** mit **Schnittlauch** und **Radieschen** servieren.

AH! Diese Buletten werden viele fleischfressende Pflanzen geschmacklich überzeugen. Achte darauf, dass du den Teig richtig gut durchknetest, dann halten die Buletten auch in der Pfanne zusammen. Lass sie nach dem Braten für eine festere Textur noch etwas abkühlen.

SCHNELLER FLAMMKUCHEN MIT CASHEWCREME, TOFU UND ROTEN ZWIEBELN

ZUTATEN für 1 Blech
(26 x 40 cm; 6 Stücke)
90 g Räuchertofu
2 EL Olivenöl
Meersalz
schwarzer Pfeffer aus der Mühle
1 rote Zwiebel
100 g Cashewmus
1 TL frisch gepresster Zitronensaft
1 Packung Bioblätterteig
(320 g; Kühlregal)
½ Bund Schnittlauch

ZUBEREITUNG ca. 15 Minuten plus ca. 15 Minuten Backzeit
Den Backofen auf 230 °C Ober-/Unterhitze (210 °C Umluft) vorheizen. Den **Räuchertofu** in kleine Würfel schneiden. Das **Olivenöl** in einer Pfanne erhitzen, den Tofu darin von allen Seiten 3 Minuten kross anbraten und mit **Salz** und **Pfeffer** würzen. Die **Zwiebel** schälen und in feine Ringe schneiden. Das **Cashewmus** mit 70 ml Wasser und **Zitronensaft** vermengen und mit **Salz** und **Pfeffer** würzen.
Den **Blätterteig** auf ein mit Backpapier ausgelegtes Backblech legen. Die Cashewcreme darauf verstreichen, dann Tofu und Zwiebeln darüber verteilen und im Ofen auf der mittleren Schiene 15 Minuten backen.
Schnittlauch waschen, trocken schütteln und in feine Ringe schneiden. Den Flammkuchen damit bestreuen.

AH! Statt wie im Originalrezept mit einem Hefeteig zu arbeiten, machen wir es uns einfach und nehmen veganen Blätterteig – der ist beim Biodealer mit „vegan" gelabelt. Am besten ist der Blätterteig, der von Haus aus etwa die Größe vom Backblech hat. Er wird meistens als Rolle verkauft. Findest du ihn nicht, nimm die kleineren Blätterteigstücke und lege sie nebeneinander.

PIZZA FÜR FAULE MIT PAPRIKA, ZUCCHINI, TOMATEN, OLIVEN UND MACADAMIA-PARMESAN

ZUTATEN für 2 Pizzen

2 Tortillas (Rezept siehe Seite 159 oder fertige Biopizzaböden)

Für die Tomatensauce

90 g Tomatenmark

1 EL Olivenöl

½ TL getrockneter Oregano

Für den Belag

1 rote Paprikaschote

1 gelbe Paprikaschote

½ Zucchini (brutto ca. 90 g)

1 rote Zwiebel

200 g Kirschtomaten

1 Bund Basilikum

3 EL Olivenöl

Meersalz

schwarzer Pfeffer aus der Mühle

70 g schwarze Oliven (ohne Stein)

Für den Macadamia-Parmesan

30 g Macadamianüsse

1 EL Hefeflocken

Meersalz

ZUBEREITUNG ca. 25 Minuten inkl. 5–7 Minuten Backzeit

Den Backofen auf 220 °C Ober-/Unterhitze (200 °C Umluft) vorheizen. Die **Paprikaschoten** waschen, halbieren, entkernen und in kleine quadratische Stücke schneiden. Die **Zucchini** waschen und in kleine Würfel schneiden. Die **Zwiebel** schälen und fein hacken. Die **Kirschtomaten** waschen und halbieren. Das **Basilikum** waschen und die Blättchen abzupfen.

Das **Olivenöl** in einer Pfanne erhitzen. Zwiebeln, Paprika und Zucchini darin 4 Minuten bei mittlerer bis starker Hitze anbraten. Kirschtomaten dazugeben und 1 Minute anbraten. Mit **Salz** und **Pfeffer** würzen.

Für den Macadamia-Parmesan die **Nüsse** und die **Hefeflocken** mit etwas **Salz** im Mixer zu einem Pulver vermahlen.

Für die Tomatensauce **Tomatenmark, Olivenöl** und **Oregano** mit 1 EL Wasser verrühren. Tortillas oder Pizzaböden gleichmäßig mit der Tomatensauce bestreichen. Gemüse und Oliven darauf verteilen. Die Pizzen im Ofen 5–7 Minuten backen. Anschließend mit Basilikum und Macadamia-Parmesan bestreuen.

AH! Falls du die Tortillas von Seite 159 machst, kannst du ruhig mehr Teigfladen zubereiten, denn man kann sie gut als Pizzaboden zweckentfremden. Einfach belegen und schon ist die saftige Pizza fertig – kein langwieriger Hefeteig, kein Warten!

PASTA MIT GEBRATENEM SPARGEL, KIRSCHTOMATEN UND CASHEW-PARMESAN

ZUTATEN für 2 Personen
250 g Vollkornreis-Spaghetti
Meersalz
300 g grüner Spargel
(netto ca. 200 g)
2 Knoblauchzehen
120 g Räuchertofu
½ Handvoll Basilikumblättchen
350 g Kirschtomaten
3 EL Olivenöl
schwarzer Pfeffer aus der Mühle
Für den Cashew-Parmesan
20 g Cashewkerne
1 EL Hefeflocken
Meersalz

ZUBEREITUNG ca. 30 Minuten
Spaghetti in kochendem **Salzwasser** 8–10 Minuten nach Packungsanweisung garen. Die holzigen Enden vom **Spargel** abschneiden, den Spargel waschen und schräg in Stücke schneiden. **Knoblauch** schälen und fein hacken. **Räuchertofu** in kleine Würfel schneiden. **Basilikumblättchen** waschen, trocken tupfen und fein hacken. Die **Tomaten** waschen, eine Hälfte im Mixer pürieren und die andere Hälfte in Viertel schneiden. Das **Olivenöl** in einer Pfanne erhitzen. Den Tofu darin unter häufigem Rühren bei starker Hitze 2 Minuten anbraten. Spargel dazugeben und weitere 2 Minuten braten. Knoblauch dazugeben und 1 Minute weiterbraten. Zum Schluss geviertelte und pürierte Tomaten dazugeben, 1 Minute kochen und dann mit **Salz** und **Pfeffer** würzen. Die Sauce mit der Pasta vermengen und das Basilikum unterheben.
Für den Cashew-Parmesan die **Cashewkerne** mit **Hefeflocken** und etwas **Salz** im Mixer pürieren. Die Pasta damit bestreuen.

AH! Superschnell gemacht und einfach köstlich! Die Pasta ist knackig durch den Spargel, saftig durch die Tomaten und würzig durch Räuchertofu und Cashew-Parmesan. Vorgekocht wunderbar für unterwegs. Am besten machst du eine größere Menge Parmesan, so sparst du beim nächsten Mal Zeit und hast immer etwas da, auch für andere Rezepte aus „Vegan to Go".

GEBRATENE CHINA-NUDELN IN A BOX

ZUTATEN für 2 Personen
Für den Seitan
110 g Seitan
1 EL Biomargarine
1 TL Asia-Gewürzmischung
(Bioladen)
½ EL Sojasauce
Für die Nudeln
250 g Bio-Mie-Nudeln ohne Ei
Meersalz
½ Möhre (brutto ca. 40 g)
¼ rote Paprikaschote
(brutto ca. 40 g)
100 g Chinakohl
1 Frühlingszwiebel
4 EL Olivenöl
140 g Sojasprossen
1 TL Asia-Gewürzmischung
(Bioladen)
6 EL milde Sojasauce

ZUBEREITUNG ca. 30 Minuten
Nudeln in kochendem **Salzwasser** nach Packungs-anweisung ca. 3 Minuten al dente kochen. Dann durch ein Sieb abgießen und mit kaltem Wasser abschrecken. Den **Seitan** in dünne Streifen schneiden. **Margarine** in einer Pfanne erhitzen. Die Seitanstreifen darin ca. 4 Minuten kross anbraten. Mit **Asiagewürz** und **Soja-sauce** würzen.
Die **Möhre** schälen und in feine Streifen schneiden. Die **Paprika** waschen, entkernen und in feine Streifen schneiden. **Chinakohl** und **Frühlingszwiebel** waschen und ebenfalls in feine Streifen schneiden.
Das **Olivenöl** in einer Pfanne erhitzen und das Gemüse darin ca. 3 Minuten bei starker Hitze anbraten.
Nudeln und **Sprossen** dazugeben und weitere 3 Minu-ten braten. **Asiagewürz** und **Sojasauce** ebenfalls hinzu-fügen und 1 Minute weiterbraten.
Zum Schluss den Seitan unterheben und servieren.

AH! Mie-Nudeln findest du beim Biodealer, die Kochzeit ist viel kürzer als bei Spaghetti. Die Nudeln schmecken auch kalt und die stilsichere Verpackung bekommst du, wenn du in deinem chinesischen Imbiss nett nach-fragst. So habe ich sie jedenfalls bekommen. Es hat Kult-charakter, das Gericht so zu essen. Und ein bisschen erinnert es an die eine oder andere Sitcom …

SCHNELLE PAPRIKA-BRATKARTOFFELN

ZUTATEN für 2 Personen
750 g festkochende Kartoffeln
Meersalz
1 rote Paprikaschote
1 große rote Zwiebel
(brutto ca. 160 g)
1 Bund Petersilie
6 EL Olivenöl
1 TL rosenscharfes Paprikapulver
schwarzer Pfeffer aus der Mühle
2 Frühlingszwiebeln

ZUBEREITUNG ca. 20 Minuten mit gekochten, ca. 70 Minuten mit ungekochten Kartoffeln

Die **Kartoffeln** 25–30 Minuten in **Salzwasser** weich kochen. Abgießen, abkühlen lassen und pellen. In 1 cm große Würfel schneiden. Die **Paprika** waschen, halbieren, entkernen und in kleine Stücke schneiden. Die **Zwiebel** schälen und fein hacken. **Petersilie** waschen, trocken schütteln, die Blättchen abzupfen und fein hacken.

Das **Öl** in einer Pfanne erhitzen und die Kartoffeln darin ca. 5 Minuten unter gelegentlichem Rühren bei mittlerer bis starker Hitze anbraten. Paprika und Zwiebeln dazugeben und 4 Minuten weiterbraten, dann die Petersilie dazugeben und 2 weitere Minuten braten. Mit **Paprikapulver, Pfeffer** und **Salz** würzen.

Die **Frühlingszwiebeln** waschen, schräg in feine Ringe schneiden und damit garnieren.

AH! Bereite die Bratkartoffeln am besten dann vor, wenn du noch gekochte Kartoffeln vom Vortag übrig hast. Dann sind sie richtig schnell gezaubert.

MINESTRONE „MAESTRO"

ZUTATEN für 2 Personen

100 g Rigatoni (alternativ
Vollkornreisnudeln; Stufe 2)

Meersalz

1 Stange Lauch (brutto ca. 150 g)

70 g Rotkohl (brutto)

½ Brokkoli (brutto ca. 200 g)

250 g Tomaten

3 Stangen Staudensellerie
(ca. 100 g)

170 g gekochte Kichererbsen
(Glas oder Dose; Abtropfgewicht)

2 Knoblauchzehen

3 EL Olivenöl

630 ml Gemüsebrühe

½ Bund Basilikum

2 Scheiben Brot

120 g Tomatenmark

1 EL frisch gepresster Zitronensaft

schwarzer Pfeffer aus der Mühle

AH! Während die Pasta kocht, kannst du
schon mal das Gemüse schnibbeln. Koche
am besten eine größere Menge und friere
die Suppe portionsweise ein. So hast du
jeden Tag eine frische und wärmende
italienische Suppe. Übrigens: Sie ist auch
mit etwas Pesto getoppt sehr lecker.

ZUBEREITUNG ca. 40 Minuten

Die **Pasta** in kochendem **Salzwasser** 8–10 Minuten nach Packungsanweisung al dente kochen. Anschließend abgießen und kurz mit kaltem Wasser abschrecken.

Währenddessen den **Lauch** längs halbieren, unter fließendem Wasser waschen und in feine Streifen schneiden. Den **Rotkohl** waschen und in feine Streifen schneiden. Die **Brokkoliröschen** abtrennen und waschen. Die **Tomaten** waschen und in kleine Stücke schneiden. Den **Staudensellerie** waschen und in kleine Stücke schneiden. Die **Kichererbsen** in ein Sieb geben, waschen und abtropfen lassen. Den **Knoblauch** schälen und fein hacken.

Olivenöl in einem großen Topf erhitzen. Lauch, Rotkohl, Brokkoli und Sellerie darin 4 Minuten bei starker Hitze anbraten. Auf mittlere Hitze schalten, Knoblauch dazugeben und 1 Minute weiterbraten. Tomaten und **Gemüsebrühe** hinzufügen, aufkochen und 5 Minuten bei mittlerer Hitze kochen lassen.

Basilikum waschen, trocken schütteln, Blättchen abzupfen und in feine Streifen schneiden.

Das **Brot** im Backofen (220 °C Ober-/Unterhitze; 200 °C Umluft) oder Toaster kurz kross backen.

Tomatenmark, Nudeln, Kichererbsen und **Zitronensaft** in den Minestrone-Topf geben, umrühren und mit **Salz** und **Pfeffer** würzen.

Das Basilikum vor dem Servieren über die Suppe streuen. Minestrone mit krossem Brot aus dem Backofen servieren.

PIZZAKARTOFFELN

ZUTATEN für 2 Personen
8 Kartoffeln (brutto ca. 600 g)
Meersalz
6 EL Olivenöl
1 große Zwiebel (brutto ca. 160 g)
1 rote Paprikaschote
(brutto ca. 220 g)
3 getrocknete Tomaten in Öl
(abgetropft)
40 g schwarze Oliven (ohne Stein)
30 g Tomatenmark
1 ½ TL Oregano
1 TL Agavendicksaft
schwarzer Pfeffer aus der Mühle
½ Bund Basilikum
100 g geriebener veganer Käse

ZUBEREITUNG ca. 30 Minuten mit gekochten, ca. 70 Minuten mit ungekochten Kartoffeln
Die **Kartoffeln** 25–30 Minuten in **Salzwasser** kochen, abtropfen und abkühlen lassen. Längs halbieren, zwei Drittel des Inneren mit einem Teelöffel auslöffeln und in einer Schüssel mit einem Kartoffelstampfer zerstampfen. Die Kartoffelhälften außen mit etwa 2 EL **Olivenöl** einreiben. Den Backofen auf 200 °C Ober-/Unterhitze (180 °C Umluft) vorheizen.
Zwiebel schälen und fein hacken. **Paprika** waschen, halbieren, entkernen und fein hacken. Die **getrockneten Tomaten** fein hacken. Die **Oliven** in Ringe schneiden.
3 EL **Olivenöl** in einer Pfanne erhitzen und Zwiebeln und Paprika darin 5–7 Minuten bei mittlerer Hitze anbraten. **Tomatenmark, Oregano** und **Agavendicksaft** dazugeben und dann Oliven und Tomaten unterheben. Vom Herd nehmen und mit **Salz** und **Pfeffer** abschmecken.
Basilikum waschen, trocken schütteln, die Blättchen abzupfen, fein hacken und zur Kartoffelfüllung geben. Den Pfanneninhalt auch zur Kartoffelfüllung geben, gut durchmixen und das restliche **Olivenöl** dazugeben. Die Füllung reichlich in die Kartoffelhälften geben und mit **Käse** bestreuen. Im Backofen auf der mittleren Schiene ca. 10 Minuten überbacken.

AH! Dieses Rezept ist klasse, wenn du noch Kartoffeln vom Vortag übrig hast, so sparst du richtig Zeit. Die Kartoffeln sind super zum Mitnehmen und schmecken auch kalt köstlich. Neidische Blicke sind dir ganz sicher – das ist etwas ganz Besonderes in der Snackbox!

GEBACKENE TOMATEN MIT QUINOA-SPINAT-FÜLLUNG

ZUTATEN für 2 Personen

70 g Quinoa (ca. 150 g gekochte Quinoa)
Meersalz
ca. 1 kg bunte Tomaten, verschiedene Sorten (8 Stück)
1 große Zwiebel (brutto ca. 120 g)
1 Knoblauchzehe
1 Möhre (brutto ca. 130 g)
80 g Babyspinat
40 g Pinienkerne
2 EL Olivenöl
30 g Cashewmus
schwarzer Pfeffer aus der Mühle

AH! Am zeitsparendsten ist es, wenn du immer etwas vorgekochte Quinoa im Haus hast – super für Salate oder diese Tomaten. Auch kalt schmeckt Quinoa köstlich. Beim Transport lieber etwas vorsichtiger sein.

ZUBEREITUNG ca. 35 Minuten

Quinoa in einem feinen Sieb kurz unter Wasser waschen. In einem kleinen Topf in kochendem **Salzwasser** bei mittlerer bis starker Hitze ca. 17 Minuten offen kochen. Anschließend in einem feinen Sieb abtropfen lassen.

Währenddessen die **Tomaten** waschen, einen Deckel abschneiden und das Fruchtfleisch vorsichtig mit einem Teelöffel auslöffeln. Das Fruchtfleisch für eine Tomatensauce oder Ähnliches aufheben.

Die **Zwiebel** und den **Knoblauch** schälen und beides fein hacken. Die **Möhre** schälen und in kleine Würfel schneiden. **Babyspinat** waschen, trocken schleudern und grob hacken.

Den Backofen auf 200 °C Ober-/Unterhitze (180 °C Umluft) vorheizen.

Die **Pinienkerne** in einer kleinen Pfanne ca. 4 Minuten bei mittlerer bis hoher Hitze anrösten, bis sie leicht Farbe bekommen haben. Aus der Pfanne nehmen, das **Olivenöl** in der Pfanne erhitzen und die Zwiebeln darin bei mittlerer Hitze ca. 3 Minuten anbraten, dann Knoblauch und Möhren hinzufügen und nochmals 4 Minuten braten. Babyspinat, Quinoa, Pinienkerne und **Cashewmus** in eine große Schüssel geben, das angebratene Gemüse unterheben und mit **Salz** und **Pfeffer** abschmecken.

Die Tomaten auf ein mit Backpapier ausgelegtes Backblech legen, die Tomaten mit der Füllung füllen und auf der mittleren Schiene ca. 12 Minuten backen.

KARTOFFEL-SPINAT-TALER MIT GURKEN-JOGHURT-DIP

ZUTATEN für 2–3 Personen
(25 kleine Bratlinge)
Für die Kartoffel-Spinat-Taler
400 g mehligkochende Kartoffeln
Meersalz
1 rote Zwiebel
1 Knoblauchzehe
140 g Babyspinat
120 g Möhre
4 EL Olivenöl
2 gehäufte TL
Johannisbrotkernmehl (ca. 14 g)
1 Prise frisch geriebene
Muskatnuss
schwarzer Pfeffer aus der Mühle
30 g ungesüßte Cornflakes
30 g Kartoffelchips
Für den Gurken-Joghurt-Dip
150 g Salatgurke
200 g Sojajoghurt
1 gestr. TL Curry
3 EL Olivenöl
½ TL Johannisbrotkernmehl
½ TL Meersalz

AH! Forme die Masse nicht zu großen,
sondern lieber zu kleineren Talern. So ist
das Verhältnis von Masse zu knuspriger
Kruste besser. Zeit sparen kannst du mit
vorgekochten Kartoffeln und einem
fertigen Dip.

ZUBEREITUNG ca. 35 Minuten mit gekochten,
ca. 70 Minuten mit ungekochten Kartoffeln
Die **Kartoffeln** 25–30 Minuten in **Salzwasser** weich
kochen, in ein Sieb geben, kurz mit kaltem Wasser
abschrecken, 15 Minuten abkühlen und trocknen lassen
und anschließend pellen. **Zwiebel** und **Knoblauch** schälen
und fein hacken. Den **Babyspinat** waschen und trocken
schleudern. Die **Möhre** schälen und fein hacken.
1 EL **Öl** in einer Pfanne erhitzen und Zwiebel und Möhre
darin bei mittlerer Hitze ca. 3 Minuten anbraten. Dann
den Knoblauch dazugeben und 1 Minute anbraten. Den
Babyspinat dazugeben und 1 Minute braten, bis der Spinat
zusammenfällt. Die Kartoffeln mit dem Kartoffelstampfer
zerstampfen oder durch die Kartoffelpresse drücken.
In eine große Schüssel geben und den Pfanneninhalt
dazugeben. Mit **Johannisbrotkernmehl** vermischen und
mit ½ TL **Salz, Muskat** und **Pfeffer** abschmecken.
Für die Kruste **Cornflakes** und **Kartoffelchips** mit den
Händen zerkrümeln oder im Mixer vermahlen.
Die Kartoffelmasse mit einem Ausstechring oder einem
Glas zu ca. 25 kleinen Burgern (ø 5 cm, je 25 g) ausstechen
und in der Cornflakes-Chips-Mischung wenden. Das rest-
liche **Olivenöl** in einer Pfanne erhitzen und die Burger
darin auf jeder Seite 3–4 Minuten bei mittlerer bis starker
Hitze anbraten. Auf einem mit Küchenpapier ausgelegten
Teller abtropfen lassen.
Für den Gurken-Joghurt-Dip die **Gurke** waschen und grob
zerkleinern. Mit allen **Zutaten** im Mixer cremig pürieren
und mit **Salz** abschmecken.
Dip zu den Burgern servieren.

KARTOFFELBREI ITALIAN STYLE

ZUTATEN für 2 Personen
680 g mehligkochende Kartoffeln
Meersalz
50 g getrocknete Tomaten in Öl
(abgetropft)
1 große rote Zwiebel
(brutto ca. 190 g)
1 Knoblauchzehe
½ rote Chilischote
30 g Pinienkerne
1 EL Olivenöl
40 g schwarze Oliven in Öl
(ohne Stein)
1 Handvoll Basilikumblättchen
80 g weißes Mandelmus
schwarzer Pfeffer aus der Mühle

ZUBEREITUNG ca. 20 Minuten mit gekochten, ca. 60 Minuten mit ungekochten Kartoffeln

Die **Kartoffeln** in einem großen Topf in **Salzwasser** 25–30 Minuten weich kochen. Die **getrockneten Tomaten** fein hacken. **Zwiebel** und **Knoblauch** schälen und fein hacken. Die **Chili** waschen und fein hacken. Die **Pinienkerne** in einer Pfanne ohne Fett 3 Minuten anrösten, dann aus der Pfanne nehmen. Das **Olivenöl** in der Pfanne erhitzen und die Zwiebeln darin 3 Minuten bei mittlerer Hitze anbraten, Knoblauch und Chili dazugeben und weitere 2 Minuten braten. **Oliven** abtropfen lassen und in feine Stücke schneiden. **Basilikumblättchen** waschen, trocken tupfen und fein hacken.
Die Kartoffeln pellen und mit dem Kartoffelstampfer zerstampfen oder durch eine Kartoffelpresse drücken. Mit **Mandelmus** und 20 ml Wasser vermengen und alle anderen Zutaten sowie 20 g der Pinienkerne unterheben. Mit **Salz** und **Pfeffer** abschmecken. Mit den restlichen Pinienkernen bestreuen.

AH! Es muss nicht immer der langweilige 08/15-Kartoffelbrei sein. Pimpe ihn einfach mit Kräutern, getrockneten Tomaten und deinen Lieblingszutaten. Eignet sich super zum Mitnehmen. Zeit sparen kannst du, wenn du vorgekochte Kartoffeln verwendest.

VIETNAMESISCHE NUDELSUPPE „PHO"

ZUTATEN für 2 Personen
Für die Pho-Brühe
½ Stange Lauch (brutto ca. 170 g)
1 Zwiebel
80 g Shiitakepilze
20 g Ingwer
2 Möhren (brutto ca. 270 g)
230 g Fenchel
3 EL Olivenöl
1 TL Pfefferkörner
2 Sternanis
1 Prise gemahlener Safran
1 Zimtstange
1 Lorbeerblatt
2 gestr. TL Salz
1 EL Sojasauce
abgeriebene Schale von ½ Biozitrone
Für die Einlage
150 g Tofu Natur
2 EL Olivenöl
Meersalz
schwarzer Pfeffer aus der Mühle
150 g Mungobohnensprossen
½ Bund Minze
½ Bund Koriander
(alternativ Petersilie)
1 rote Chilischote
250 g Reisnudeln (alternativ
Vollkornreis-Spaghetti; Stufe 2)
1 Limette

ZUBEREITUNG ca. 20 Minuten mit vorgekochter Brühe, ca. 1 Stunde 20 Minuten ohne fertige Brühe
Den **Lauch** längs aufschneiden und gründlich waschen, anschließend in Ringe schneiden. Die **Zwiebel** schälen und vierteln, die **Pilze** putzen, den **Ingwer** schälen und in grobe Stücke schneiden, **Möhren** und **Fenchel** waschen und in grobe Stücke schneiden.
Das **Olivenöl** in einem großen Topf erhitzen und Lauch, Zwiebeln, Möhren und Fenchel darin 4 Minuten scharf bei starker Hitze unter Rühren anbraten. 1,8 l Wasser und die restlichen **Zutaten** hinzufügen, aufkochen und bei schwacher bis mittlerer Hitze 1 Stunde köcheln lassen. Anschließend den Topfinhalt durch ein Sieb in einen weiteren Topf gießen, gut abtropfen lassen und eventuell mit einem Löffel noch einmal nachdrücken, bis die Flüssigkeit fast vollständig im Topf ist.
Den **Tofu** für die Einlage in Würfel schneiden. Das **Olivenöl** in einer Pfanne erhitzen und den Tofu darin 3 Minuten bei mittlerer bis starker Hitze anbraten. Mit **Salz** und **Pfeffer** würzen.
Die **Sprossen** waschen und abtropfen lassen. **Minze** und **Koriander** waschen und die Blättchen abzupfen. Die **Chili** waschen und in feine Scheiben schneiden.
Die **Nudeln** in kochendem **Salzwasser** nach Packungsanweisung kurz al dente kochen (Reisnudeln brauchen wesentlich kürzer als normale Nudeln).
Die Brühe aufkochen, die Nudeln dazugeben, in Tellern verteilen, mit Sprossen, Tofu, Minze, Koriander und Chilischeiben toppen und für den Frischekick einen **Limettenspalt** zum Darüberträufeln danebenlegen.

AH! Das Zeitraubende bei diesem Rezept ist die Brühe. Bereite deshalb gleich mehr davon zu und friere einen Teil ein. Der Rest geht wirklich zügig. Das erste Mal habe ich Pho – eine würzige, gesunde Suppe – in einem vietnamesischen Restaurant in Washington, D.C. gegessen. Die Menge Chili bestimmst du – dabei nicht vergessen: Zu scharfes Essen brennt zweimal.

NUDELAUFLAUF MIT MANGOLD IN MANDELCREME MIT PINIENKERNEN

ZUTATEN für 2 Personen
250 g Fusilli (alternativ
Vollkornreisnudeln; Stufe 2)
Meersalz
300 g Mangold (alternativ Spinat
oder Grünkohl)
2 EL Pinienkerne
1 große Zwiebel (brutto ca. 150 g)
3 EL Olivenöl
160 g weißes Mandelmus
frisch geriebene Muskatnuss
schwarzer Pfeffer aus der Mühle
einige Basilikumblättchen

ZUBEREITUNG ca. 25 Minuten plus ca. 40 Minuten Backzeit
Den Backofen auf 200 °C Ober-/Unterhitze (180 °C Umluft) vorheizen. Die **Nudeln** in kochendem **Salzwasser** al dente kochen (ca. 2 Minuten kürzer als nach Packungsanweisung). Dann abgießen und kurz mit kaltem Wasser abschrecken. **Mangold** waschen, trocken schleudern und in feine Streifen schneiden. Die **Pinienkerne** in einer Pfanne ohne Fett ca. 3 Minuten bei mittlerer bis starker Hitze anrösten, dann aus der Pfanne nehmen. Die **Zwiebel** schälen und fein hacken. Das **Olivenöl** in der Pfanne erhitzen und die Zwiebeln darin ca. 3 Minuten bei mittlerer Hitze anbraten. Dann den Mangold dazugeben und 2 weitere Minuten bei starker Hitze braten. Das **Mandelmus** mit 220 ml Wasser vermengen und kräftig mit **Salz** und **Pfeffer** würzen. Nudeln, Mangold und Zwiebeln mit der Mandelsauce in einer Auflaufform vermengen und mit **Muskat, Salz** und **Pfeffer** würzen. Im Backofen auf der mittleren Schiene 35–40 Minuten backen, bis die Oberfläche leicht kross geworden ist. Mit Pinienkernen und **Basilikum** toppen.

AH! Mangold ist supergesund und enthält große Mengen der Vitamine K, A und E. Koche am besten eine größere Menge, so hast du auch für den nächsten Tag ein leckeres Essen – einfach nur noch im Backofen erwärmen und dazu einen leichten Salat servieren.

QUESADILLAS

ZUTATEN für 2 Personen
1 rote Paprikaschote
1 Zucchini (brutto ca. 160 g)
1 rote Zwiebel
80 g Mais (Abtropfgewicht;
Glas oder Dose)
30 g schwarze Oliven in Öl
(ohne Stein)
1 EL Biomargarine
Meersalz
schwarzer Pfeffer aus der Mühle
140 g veganer Käse
2 Tortillas (Grundrezept siehe
Seite 159 oder fertig gekauft)
1 Handvoll frische
Korianderblättchen (alternativ
Petersilie, wer keinen Koriander mag)
Für die Sauce
50 g Tomatenmark
½ TL gemahlener Kreuzkümmel
½ TL gemahlener Koriander
½ TL edelsüßes Paprikapulver
1 EL Olivenöl
Meersalz
schwarzer Pfeffer aus der Mühle

ZUBEREITUNG ca. 25 Minuten
Für die Sauce **Tomatenmark** mit **Kreuzkümmel, Koriander, Paprika,** 20 ml Wasser und dem **Öl** vermengen und mit **Salz** und **Pfeffer** würzen.
Die **Paprika** waschen, halbieren, entkernen und in kleine Stücke schneiden. Die **Zucchini** waschen und in kleine Stücke schneiden. Die **Zwiebel** schälen, halbieren und in Scheiben schneiden. Den **Mais** in ein Sieb geben, kurz waschen und abtropfen lassen. Die **Oliven** in Ringe schneiden.
Die **Margarine** in einer Pfanne erhitzen und Zwiebeln, Paprika und Zucchini darin bei starker Hitze ca. 3 Minuten anbraten, dann auf mittlere Hitze reduzieren, Mais und Oliven dazugeben und weitere 2 Minuten braten. Mit **Salz** und **Pfeffer** abschmecken. Den veganen **Käse** reiben, dazugeben, vom Herd nehmen und unter Rühren schmelzen lassen.
Eine **Tortilla** mit der Tomatensauce einstreichen (gekaufte Tortillas vorher kurz im Ofen kross backen). Den Pfanneninhalt darauf verteilen. Die **Korianderblättchen** waschen, trocken tupfen und auf dem Gemüse verteilen. Mit der zweiten Tortilla abschließen und das Ganze in 6 Stücke schneiden.

AH! Super als To-go-Snack, denn du kannst die Quesadillas wunderbar kalt essen. Fertige Tortillas findest du im Supermarkt und eventuell auch bei einigen Biodealern.

SPAGHETTI MIT BASILIKUMPESTO

ZUTATEN für 2 Personen
300 g Spaghetti (alternativ
Vollkornreis-Spaghetti; Stufe 2)
Meersalz
Für das Pesto
½ Bund Basilikum (30 g abgezupfte
Blättchen)
50 g Pinienkerne
50 ml Olivenöl
½ TL frisch gepresster Zitronensaft
Meersalz
schwarzer Pfeffer aus der Mühle

ZUBEREITUNG ca. 15 Minuten
Die **Spaghetti** in kochendem **Salzwasser**
nach Packungsanweisung al dente kochen.
Anschließend durch ein Sieb abgießen und
kurz mit kaltem Wasser abschrecken.
Für das Pesto **Basilikum** waschen, trocken
schütteln und die Blättchen abzupfen. Alle
Zutaten für das Pesto in einem Mixer oder
mit dem Pürierstab pürieren und mit **Salz**
und **Pfeffer** abschmecken.
Die Pasta mit dem Pesto toppen.

AH! Der Klassiker schlechthin, wenn es schnell
gehen muss: Einfach Nudeln nach Wahl kochen
und mit etwas Pesto vermengen – fertig ist das
Geschmackserlebnis. Ich habe immer Pesto im
Kühlschrank. Bereite direkt eine größere Portion
zu und verwende das Pesto für Sandwiches,
Salate und andere Gerichte.

LINSENSUPPE MIT PETERSILIE UND TOMATE

ZUTATEN für 2 Personen
250 g getrocknete Tellerlinsen
(braune Linsen)
1 Knoblauchzehe
4 Lorbeerblätter
60 ml Olivenöl
2 EL frisch gepresster Zitronensaft
Meersalz
schwarzer Pfeffer aus der Mühle
1 Handvoll Petersilienblättchen
2 Tomaten

ZUBEREITUNG ca. 40 Minuten plus mindestens 2 Stunden Einweichzeit
Die **Linsen** mindestens 2 Stunden in 1 l kaltem Wasser einweichen (besser über Nacht).
Den **Knoblauch** schälen und durch eine Knoblauchpresse drücken. Die Linsen durch ein Sieb abgießen, kurz waschen und mit 1 l frischem Wasser, **Lorbeerblättern** und Knoblauch in einen Topf geben. Aufkochen lassen und bei mittlerer Hitze 30 Minuten unter häufigem Rühren köcheln lassen.
Dann ca. 35 ml **Olivenöl** unterrühren und mit **Zitronensaft, Salz** und **Pfeffer** abschmecken.
Die **Petersilienblättchen** waschen, trocken tupfen und grob hacken. **Tomaten** waschen und in kleine Stücke schneiden.
Die Suppe auf Teller verteilen, Tomatenstücke und Petersilie darübergeben, mit dem restlichen **Olivenöl** beträufeln und mit **Salz** und **Pfeffer** abschmecken.

AH! Weiche die Linsen am besten über Nacht ein. Und koche direkt eine große Portion, du kannst die Suppe gut einfrieren. Linsen sind reich an Vitaminen und Mineralstoffen wie Eisen und enthalten viel Eiweiß.

GEBRATENER REIS MIT GEMÜSE

ZUTATEN für 2 Personen
200 g Reis (Langkornreis; mit
Vollkornreis Stufe 2)
Meersalz
1 Kohlrabi (netto ca. 80 g)
1 Möhre (netto ca. 100 g)
½ rote Zwiebel
½ Brokkoli (netto ca. 120 g)
1 Stange Staudensellerie
(netto ca. 90 g)
100 g Räuchertofu
3 EL Biomargarine
schwarzer Pfeffer aus der Mühle
20 g Rettichsprossen

ZUBEREITUNG ca. 30 Minuten
Den **Reis** mit 620 ml kochendem Wasser und
½ TL **Salz** in einen Topf geben, aufkochen
lassen und bei mittlerer Hitze 15 Minuten
köcheln lassen. Danach in ein Sieb geben und
kurz unter fließendem kaltem Wasser waschen.
Kohlrabi und **Möhre** schälen und in kleine
Würfel oder Stücke schneiden. Die **Zwiebel**
schälen und fein hacken. Die **Brokkoliröschen**
abtrennen, je nach Größe noch etwas kleiner
schneiden und kurz waschen. Den **Staudensellerie** waschen und in kleine Würfel schneiden.
Den **Tofu** in kleine Würfel schneiden.
Die **Margarine** in einer Pfanne erhitzen und den
Tofu darin 3 Minuten bei starker Hitze kross
anbraten. Das Gemüse dazugeben und weitere
3 Minuten braten. Nun den Reis hinzufügen
und weitere 4 Minuten bei mittlerer bis starker
Hitze braten.
Anschließend mit **Salz** und **Pfeffer** würzen und
mit den **Rettichsprossen** toppen.

AH! Am schnellsten funktioniert dieses
Rezept natürlich mit Reis vom Vortag.
Du kannst zwischen Vollkornreis und
geschältem Reis wählen. Gebratener Reis
hat die Eigenschaft, oft etwas trocken
zu schmecken. Hier kannst du deine
neuesten Chili- oder Tomatensaucen
drüberschaufeln oder etwas Guacamole
(siehe Seite 130) dazu reichen.

ROTE-BETE-SCHNITZEL MIT KARTOFFELSTAMPF UND JOGHURT-DILL-DIP

ZUTATEN für 2 Personen

Für den Kartoffelstampf

700 g mehligkochende Kartoffeln
Meersalz
1 rote Zwiebel
70 g Biomargarine
90 g Hafersahne
schwarzer Pfeffer aus der Mühle

Für die Rote-Bete-Schnitzel

1 Rote Bete (brutto ca. 300 g)
100 g ungesüßte Cornflakes
140 g Dinkelmehl (Type 630)
170 ml Reismilch
2 gestr. TL getrockneter Thymian
½ TL Meersalz
2 EL Biomargarine

Für den Joghurt-Dill-Dip

⅓ Salatgurke (brutto ca. 80 g)
160 g Sojajoghurt
1 EL gehackter Dill
1 EL Weißweinessig
½ TL Agavendicksaft
Meersalz
schwarzer Pfeffer aus der Mühle

AH! Für die Schnitzel habe ich rohe Rote Bete genommen. Achte darauf, dass du sie nicht zu dick schneidest, sonst bleiben sie innen hart. So werden sie innen schön gar und außen superkross durch die Cornflakes. Du kannst sie auch ohne Kartoffelstampf essen, dann sparst du viel Zeit!

ZUBEREITUNG ca. 40 Minuten mit vorgekochten, ca. 70 Minuten mit ungekochten Kartoffeln

Die **Kartoffeln** 25–30 Minuten in **Salzwasser** weich kochen. Abgießen, abkühlen lassen, pellen und durch eine Kartoffelpresse drücken oder mit einem Stampfer zu Kartoffelstampf verarbeiten. Die **Zwiebel** schälen, fein hacken und in 1 EL **Margarine** ca. 5 Minuten bei mittlerer Hitze anbraten. Mit der **Hafersahne** und der restlichen **Margarine** zum Kartoffelstampf geben, gut vermischen und mit **Salz** und **Pfeffer** abschmecken. Warm stellen. **Rote Bete** schälen und in 0,5 cm dünne Scheiben schneiden. Die **Cornflakes** im Mixer mahlen. Das **Dinkelmehl** mit **Reismilch, Thymian** und **Salz** in einer Schüssel mit einem Schneebesen zu einem glatten Teig vermengen.

Die Rote-Bete-Scheiben erst durch den Mehlteig ziehen und dann in den Cornflakes wenden.

Die **Margarine** in einer Pfanne erhitzen und die Schnitzel darin auf jeder Seite ca. 5 Minuten bei mittlerer Hitze goldbraun braten.

Für den Dip die **Gurke** waschen und mit der Reibe fein reiben oder in kleine Stücke schneiden. Mit **Joghurt, Dill, Essig** und **Agavendicksaft** vermengen und mit **Salz** und **Pfeffer** abschmecken.

GEBACKENE PILZE MIT PINIENKERN-KRÄUTER-FÜLLUNG

ZUTATEN für 2 Personen (8 Stück)

1 große rote Zwiebel
(brutto ca. 130 g)
8 große braune Champignons
(brutto ca. 280 g)
2 getrocknete Tomaten in Öl
(abgetropft)
¾ Bund Basilikum
ca. 4 EL Olivenöl
20 g Pinienkerne
1 TL gehackter frischer Oregano
1 EL Cashewmus
60 g Semmelbrösel
Meersalz
schwarzer Pfeffer aus der Mühle

ZUBEREITUNG ca. 35 Minuten

Den Backofen auf 180 °C Ober-/Unterhitze (160 °C Umluft) vorheizen. Die **Zwiebel** schälen und fein hacken. Die **Pilze** putzen, den Stiel herausbrechen und vorsichtig die Lamellen mit einem Teelöffel herauskratzen. Die **Tomaten** fein hacken. Das **Basilikum** waschen, trocken schütteln, die Blättchen abzupfen, 8 Blättchen für die Deko aufheben und den Rest fein hacken.

2 EL **Olivenöl** in einer Pfanne erhitzen und die Zwiebeln darin bei mittlerer Hitze ca. 3 Minuten anbraten. **Pinienkerne, Oregano** und Tomaten dazugeben und weitere 2 Minuten braten. Das **Cashewmus** und 3 EL Wasser dazugeben und unterheben, 15 Sekunden unter Rühren garen und vom Herd nehmen. Die **Semmelbrösel** und das Basilikum unterrühren und mit **Salz** und **Pfeffer** würzen.

Die Champignons außen mit dem restlichen **Öl** bepinseln und leicht mit **Salz** bestreuen. Mit der Füllung füllen, auf ein mit Backpapier ausgelegtes Backblech legen und auf der mittleren Schiene 10–15 Minuten backen. Zum Servieren mit Basilikumblättchen garnieren.

AH! Die Pilze schmecken warm am besten; sie sind auch auf Partys ein echter Renner. Achte darauf, dass du die Pilze richtig gut putzt – benutze Messer und Pinsel. Nicht waschen, sonst saugen sie sich mit Wasser voll!

KICHERERBSEN INDIAN STYLE

ZUTATEN für 2 Personen

1 große Zwiebel (netto ca. 160 g)

½–1 rote Chilischote

350 g gekochte Kichererbsen
(Glas oder Dose; Abtropfgewicht)

1 ½ EL Biomargarine

2 TL Curry

100 g Tomatenmark

1 ½ TL Agavendicksaft

Meersalz

3 EL Olivenöl

½ Bund Petersilie

1–2 Pitabrote (alternativ Vollkorn-
Pita; Stufe 2)

ZUBEREITUNG ca. 10 Minuten

Die **Zwiebel** schälen und fein hacken. Die **Chili** waschen, entkernen und fein hacken. Die **Kichererbsen** in ein Sieb geben, kurz waschen und abtropfen lassen.

Die **Margarine** in einer Pfanne erhitzen. Die Zwiebeln darin bei mittlerer bis starker Hitze ca. 4 Minuten glasig dünsten. Kichererbsen und **Currypulver** dazugeben und weitere 2 Minuten braten.

Tomatenmark, 60 ml Wasser und **Agaven-dicksaft** dazugeben, kurz umrühren und mit **Salz** würzen. Das **Olivenöl** unterheben. Die **Petersilie** waschen, trocken schütteln, die Blättchen abzupfen und in feine Streifen schneiden. Über das Curry geben und mit dem **Pitabrot** servieren.

AH! Eignet sich perfekt für unterwegs. Kicher-erbsen habe ich immer vorgekocht in der Dose oder im Glas im Vorratsschrank. Wer sie selbst kochen möchte, weicht trockene Kichererbsen über Nacht ein.

BLUMENKOHL MIT KOKOS-CURRY-CREME

ZUTATEN für 2 Personen

1 Zwiebel
½ rote Chilischote
2 EL Kokosöl (alternativ
Biomargarine oder Öl)
2 TL Curry
290 ml Kokosmilch
20 g Cashewmus
Meersalz
2 EL Mandelblättchen
1 großer Blumenkohl (brutto
ca. 1,25 kg, netto ca. 500 g)

ZUBEREITUNG ca. 25 Minuten

Für die Sauce die **Zwiebel** schälen und fein hacken. Die **Chili** waschen, entkernen und fein hacken. 1 EL **Kokosöl** in einem kleinen Topf erhitzen. Zwiebeln und Chili darin bei mittlerer Hitze ca. 3 Minuten anbraten. **Curry** hinzufügen und 1 Minute anbraten. Die **Kokosmilch** und das **Cashewmus** hinzufügen, gut umrühren und mit **Salz** abschmecken.

Die **Mandelblättchen** in einer Pfanne ohne Öl 2–3 Minuten bei starker Hitze unter Rühren etwas anrösten.

Die **Blumenkohlröschen** mit einem Messer abtrennen und waschen. In kochendem **Salzwasser** ca. 2 Minuten blanchieren und danach in einem Sieb abtropfen lassen.

Das restliche **Kokosöl** in einer Pfanne erhitzen und den Blumenkohl darin ca. 4 Minuten bei mittlerer bis starker Hitze anbraten.

Die Sauce mit dem Blumenkohl vermengen, auf Tellern anrichten und abschließend mit den Mandelblättchen garnieren.

AH! Supergesund, wenige Zutaten und sehr schnell gemacht. Das Anbraten verleiht dem Blumenkohl ein sehr gutes Aroma. Nimmst du das Gericht mit, vermenge den Blumenkohl erst später mit der Sauce.

SNACK ATTACK

TACOS MIT TEXMEX-TOFU, PICO DE GALLO UND GUACAMOLE

ZUTATEN für 2 Personen

Für 4 Taco Shells

60 g Maismehl

60 g Dinkelmehl (Type 630)

¼ TL Meersalz

1 EL Olivenöl

Für die Füllung

180 g Tofu Natur

½ rote Zwiebel

1 Knoblauchzehe

4 EL Olivenöl

1 gestr. TL Paprikapulver
(edelsüß oder rosenscharf)

¼ TL gemahlener Kreuzkümmel

schwarzer Pfeffer aus der Mühle

1 gestr. TL getrockneter Oregano

½ TL schwach entöltes
Kakaopulver

Meersalz

1 Romana-Salatherz

Für die Guacamole

1 Avocado (brutto ca. 300 g)

2 TL frisch gepresster Zitronensaft

Meersalz

schwarzer Pfeffer aus der Mühle

Für die Pico de gallo

3 Tomaten (brutto ca. 270 g)

½ rote Chilischote

1 rote Zwiebel

1 EL gehackter frischer Koriander

1 EL frisch gepresster Limettensaft

Meersalz

schwarzer Pfeffer aus der Mühle

Außerdem

½ Limette zum Servieren

ZUBEREITUNG ca. 30 Minuten mit fertigen, ca. 60 Minuten mit selbst gemachten Taco Shells

Alle **Zutaten** für die Tacos mit 60 ml Wasser mit dem Knethaken des Rührgeräts oder den Händen zu einem glatten Teig verkneten. Den Teig in 4 Portionen aufteilen und mit einem Nudelholz zwischen 2 Lagen Backpapier jeweils zu einem 1–2 mm dicken Teigfladen mit ca. 14 cm Durchmesser ausrollen. Eine Pfanne erhitzen und die Teigfladen darin auf beiden Seiten ohne Fettzugabe ca. 1,5 Minuten backen. Nun in die spezielle Taco-Form biegen und auf einem Backrost abkühlen lassen.

Währenddessen für die Füllung den **Tofu** mit einer Gabel zerbröseln. **Zwiebel** und **Knoblauch** schälen und fein hacken. Das **Olivenöl** in einer Pfanne erhitzen und den Tofu darin 4 Minuten bei starker Hitze unter häufigem Rühren anbraten. Zwiebeln und Knoblauch hinzufügen und 2 Minuten bei mittlerer Hitze braten. **Gewürze, Kräuter** und **Kakaopulver** dazugeben und 2 Minuten unter häufigem Rühren braten. Zum Schluss mit **Salz** abschmecken.

Den **Salat** waschen, trocken schleudern und in schmale Streifen schneiden.

Die **Avocado** halbieren, entkernen und das Fruchtfleisch mit einem Löffel herauslösen. Mit **Zitronensaft** und 1 EL Wasser im Mixer oder mit dem Pürierstab cremig pürieren. Mit **Salz** und **Pfeffer** abschmecken.

Die **Tomaten** waschen und in kleine Stücke schneiden. Die **Chili** waschen, entkernen und fein hacken. Die **Zwiebel** schälen und fein hacken. Alle **Zutaten** für die Pico de gallo in einer Schüssel vermengen. Mit **Salz** und **Pfeffer** würzen.

Tacos mit Tofufüllung, Guacamole, Pico de gallo und Salatstreifen füllen und mit **frischer Limette** servieren.

AH! Soll es schnell gehen, kaufe am besten fertige Taco Shells. Sie selbst zu machen, ist aber gar nicht schwer. Man benötigt nur etwas Fingerspitzengefühl. Viel leckerer sind sie sowieso. Ein richtig geiles Streetfood!

FRÜHLINGSROLLEN MIT CRUNCH-GEMÜSE UND SWEET-CHILI-SAUCE

ZUTATEN für 2 Personen
(7 Rollen)
Für Gemüse und Teig
200 g Rotkohl (brutto)
2 Möhren (brutto ca. 150 g)
1 rote Paprikaschote (brutto ca. 200 g)
2 Frühlingszwiebeln (brutto ca. 60 g)
14 Reisteigplatten (160 g; Asialaden)
250 ml Pflanzenöl zum Frittieren
Für die Sweet-Chili-Sauce
1 rote Paprikaschote (brutto ca. 250 g)
1 ½ rote Chilischoten
(je nach Geschmack)
1–2 Knoblauchzehen
50 ml Weißweinessig
90 g Apfelsüße
(alternativ Agavendicksaft)
abgeriebene Schale von ½ Biozitrone
Saft von ½ Orange
1 TL Sojasauce
1 TL Speisestärke (5 g)
1 TL Meersalz

AH! Das Reispapier weichst du nur kurz in kaltem Wasser ein und rollst die Füllung danach vorsichtig ein. Das Öl darf nicht zu heiß werden. Die Frühlingsrollen kannst du in großen Mengen vorkochen und dann im Tiefkühler aufbewahren. Wenn dich der Frühlingsrollen-Hunger packt, einfach in der Mikrowelle oder im Backofen erwärmen. Die Sweet-Chili-Sauce hält sich einige Tage im Kühlschrank.

ZUBEREITUNG ca. 40 Minuten
Für die Sauce **Paprika** und **Chilis** waschen, entkernen und fein hacken. Die **Knoblauchzehen** schälen und fein hacken oder durch die Knoblauchpresse drücken. Paprika, Chili, Knoblauch, 150 ml Wasser, **Essig, Apfelsüße, Zitronenschale, Orangensaft** und **Sojasauce** in einen Topf geben, aufkochen lassen und bei mittlerer Hitze 5 Minuten kochen.
Die **Speisestärke** mit 30 ml kaltem Wasser anrühren und in den Topf geben. Mit **Salz** abschmecken. Unter Rühren 3 Minuten kochen lassen. Abkühlen lassen und anschließend im Kühlschrank (30 Minuten) oder im Tiefkühler (15 Minuten) kühl stellen.
Den **Rotkohl** waschen und in feine Streifen schneiden. Die **Möhren** schälen und in feine Streifen schneiden. Die **Paprika** waschen und entkernen. Die **Frühlingszwiebeln** waschen. Paprika und Frühlingszwiebeln ebenfalls in feine Streifen schneiden.
Die **Reisteigplatten** kurz in kaltem Wasser einweichen und jeweils 2 Platten übereinander auf die Arbeitsfläche legen. Etwas Gemüse in die Mitte legen, vorn mit dem Einrollen beginnen, an den Seiten einschlagen und weiter einrollen.
Das **Pflanzenöl** in einem kleinen Topf auf mittlere Temperatur erhitzen und die Frühlingsrollen darin jeweils 5 Minuten frittieren. Nach der Hälfte der Zeit mit einer Gabel einmal wenden. Anschließend auf Küchenpapier abtropfen lassen.
Die Sweet-Chili-Sauce zu den Frühlingsrollen servieren.

ZUCCHINIPUFFER MIT CURRY-JOGHURT-DIP

**ZUTATEN für 2 Personen
(10 Puffer)**
3 Zucchini (brutto ca. 400 g)
1 Zwiebel
½ Bund Petersilie
80 g Vollkorn-Dinkelmehl
1 gestr. TL edelsüßes
Paprikapulver
1 gestr. TL Meersalz
schwarzer Pfeffer aus der Mühle
6 EL Olivenöl

Für den Curry-Joghurt-Dip
½ Bund Petersilie
240 g Sojajoghurt
2 EL Olivenöl
2 gestr. TL Curry
Meersalz
schwarzer Pfeffer aus der Mühle

ZUBEREITUNG ca. 30 Minuten
Die **Zucchini** waschen und fein reiben.
Die **Zwiebel** schälen und fein hacken. Die
Petersilie waschen, trocken schütteln und
ebenfalls fein hacken.
Die Zucchini in eine große Schüssel geben.
Zwiebeln, Petersilie, **Mehl, Paprikapulver,
Salz** und etwas **Pfeffer** hinzufügen und kurz
vermengen. 3 EL **Olivenöl** in einer Pfanne
erhitzen, für jeden Puffer 1 ½ EL der Masse
in die Pfanne geben und bei mittlerer Hitze
auf jeder Seite 3 Minuten anbraten. Aus
der Pfanne nehmen und auf Küchenpapier
kurz abtropfen lassen. Nun das restliche
Olivenöl in die Pfanne geben und die restlichen Puffer braten.
Für den Dip die **Petersilie** waschen, trocken
schütteln und fein hacken. Petersilie, **Sojajoghurt, Olivenöl** und **Curry** in eine Schüssel
geben, alles gut vermengen und mit **Salz**
und **Pfeffer** würzen.
Den Dip zu den Puffern servieren.

AH! Perfekt für unterwegs: die Puffer
einfach vorbraten und mitnehmen.
Sie sind schnell gemacht, supersaftig
und köstlich.

CHAMPIGNON-BAGUETTE

ZUTATEN für 2 Baguettes
230 g Champignons
1 Zwiebel
½ Bund Petersilie
1 ½ EL Biomargarine (ca. 60 g)
80 g Sojasahne
Meersalz
schwarzer Pfeffer aus der Mühle
150 g Baguette (ca. 18 cm lang)
1 EL geriebener veganer Käse
(ca. 20 g)
1 Handvoll Basilikumblättchen

ZUBEREITUNG ca. 25 Minuten
Den Backofen auf 220 °C Ober-/Unterhitze
(200 °C Umluft) vorheizen. Die **Champignons**
putzen und in Scheiben schneiden. Die **Zwiebel**
schälen und fein hacken. Die **Petersilie** waschen,
trocken schütteln und fein hacken.
Die **Margarine** in einer Pfanne erhitzen und die
Zwiebeln darin 2 Minuten bei mittlerer Hitze
anschwitzen. Die Champignons hinzufügen
und alles weitere 3 Minuten braten. **Sojasahne**
und Petersilie unterrühren, dann die Pfanne
vom Herd nehmen. Champignons mit **Salz** und
Pfeffer abschmecken.
Das **Baguette** halbieren, auf beide Hälften die
Champignonmischung geben und mit veganem
Käse toppen.
Im Backofen 10–12 Minuten backen, bis der
Käse geschmolzen und das Baguette kross ist.
Die **Basilikumblättchen** waschen, in Streifen
schneiden und auf die Baguettes streuen.

AH! So einfach, würzig und lecker und viel besser
als die Produkte aus der Supermarkt-Kühltruhe.
Hier weißt du, was drin ist – und das ist gut so!

HERZHAFTE MUFFINS MIT RÄUCHERTOFU, GETROCKNETEN TOMATEN UND KRÄUTERN

ZUTATEN für 6 Muffins

100 g Räuchertofu
1 rote Zwiebel
4 Frühlingszwiebeln
(brutto ca. 100 g)
1 Knoblauchzehe
1 Möhre (brutto ca. 100 g)
40 g getrocknete Tomaten in Öl
(abgetropft)
¼ rote Chilischote
1 ½ EL Biomargarine
Meersalz
schwarzer Pfeffer aus der Mühle
2 EL Schnittlauchröllchen
1 EL gehackte Petersilie
Für den Teig
240 g Weizenmehl (Type 550)
190 g Hafersahne
2 TL Backpulver
¾ TL Meersalz
schwarzer Pfeffer aus der Mühle
10 g Sojamehl
60 ml Sonnenblumenöl
70 g veganer Käse
Außerdem
6 Papier-Muffinförmchen

ZUBEREITUNG ca. 25 Minuten plus ca. 30 Minuten Backzeit

Den **Räuchertofu** in kleine Würfel schneiden. Die **Zwiebel** schälen, vierteln und in grobe Scheiben schneiden. Die **Frühlingszwiebeln** waschen und in Scheiben schneiden. Die **Knoblauchzehe** schälen und fein hacken oder durch eine Knoblauchpresse drücken. Die **Möhre** schälen und raspeln. **Tomaten** fein hacken. Die **Chili** waschen und fein hacken. Die **Margarine** in einer Pfanne erhitzen und den Tofu darin 2 Minuten bei starker Hitze anbraten. Die Zwiebeln dazugeben und bei mittlerer Temperatur weitere 3 Minuten braten. Frühlingszwiebeln, Knoblauch, Möhren, Tomaten und Chili dazugeben und weitere 2 Minuten braten. Gut mit **Salz** und **Pfeffer** würzen und die **Kräuter** unterheben.

Den Backofen auf 180 °C Ober-/Unterhitze (160 °C Umluft) vorheizen. Für den Teig **Mehl, Hafersahne, Backpulver, Salz**, etwas **Pfeffer, Sojamehl** und **Öl** glatt verkneten. Den **Käse** reiben, den Pfanneninhalt dazugeben und kurz vermengen. 6 Papier-Muffinförmchen in die Muffinbackform geben und den Teig gleichmäßig darin verteilen. Im Ofen auf der mittleren Schiene ca. 30 Minuten backen. Anschließend abkühlen lassen.

AH! Einer der besten Snacks, wenn dich unterwegs der Hunger nach etwas Herzhaftem packt. Die Muffins sind saftig und würzig und es kann nichts kleckern oder auslaufen. Ein super Allrounder, den es hoffentlich bald an jeder Tanke gibt!

SPARGELKNUSPERSTANGEN MIT PAPRIKADIP

ZUTATEN für 2 Personen
Für die Spargelknusperstangen
750 g grüner Spargel
½ Bund Petersilie
½ Bund Oregano
240 g Vollkorn-Dinkelmehl
(Type 630)
4 EL Olivenöl
2 TL rosenscharfes Paprikapulver
2 gestr. TL Meersalz
300 g Cornflakes ohne Zucker
Kochspray (Olivenöl zum Sprühen)
Für den Paprikadip
3 rote Paprikaschoten (brutto
ca. 700 g, geröstet netto ca. 340 g)
3 EL Olivenöl
Meersalz
30 ml Weißweinessig
30 g Agavendicksaft
schwarzer Pfeffer aus der Mühle

ZUBEREITUNG ca. 20 Minuten plus
ca. 25 Minuten Backzeit
Den Backofen auf 220 °C Ober-/Unterhitze (200 °C
Umluft) vorheizen.
Den **Spargel** waschen und die holzigen Enden
abschneiden. **Petersilie** und **Oregano** waschen,
trocken schütteln und die Blättchen fein hacken.
Aus **Mehl,** 380 ml Wasser, Kräutern, **Öl, Paprika-
pulver** und **Salz** einen Teig rühren. Die **Cornflakes**
zerkrümeln und in einen tiefen Teller geben.
Den Spargel erst durch den Mehlteig ziehen und
dann in den Cornflakes wenden. Auf ein Backofen-
gitter legen, mit **Ölspray** einsprühen und in den
Ofen schieben.
Für den Paprikadip die **Paprika** waschen, halbieren,
entkernen und in grobe Stücke schneiden. Mit 1 EL
Olivenöl vermengen und mit etwas **Salz** würzen.
Die Paprika auf einem mit Backpapier ausgelegten
Backblech verteilen.
Das Backblech mit den Paprika unter das Gitter
mit dem Spargel schieben. Spargel und Paprika
zusammen im Ofen ca. 25 Minuten backen.
Die Paprika anschließend mit dem restlichen
Olivenöl, Essig und **Agavendicksaft** vermengen,
mit dem Pürierstab fein pürieren und mit **Salz** und
Pfeffer würzen. Zum Spargel servieren.

AH! Das Ölspray findest du derzeit nur im Supermarkt
oder im Onlineshop. Man kann auch versuchen,
die Stangen mit etwas Öl einzupinseln, dann wird
das Ganze aber fettiger. Super für unterwegs und
als Snack für zwischendurch. Auch kalt sehr lecker!

SALATWRAPS MIT KARTOFFELFÜLLUNG, CASHEWCREME UND GEMÜSECHIPS

ZUTATEN für 2 Personen
5 gekochte Kartoffeln
(brutto ca. 460 g)
1 Möhre (brutto ca. 150 g)
90 g Rotkohl (brutto)
3 EL Olivenöl
Meersalz
schwarzer Pfeffer aus der Mühle
frisch geriebene Muskatnuss
1 Handvoll Gemüsechips
(Bioladen)
1–2 Romana-Salatherzen
(8–10 Blätter)
Für die Cashewcreme
60 g Cashewmus
½ TL frisch gepresster Zitronensaft
Meersalz
schwarzer Pfeffer aus der Mühle

ZUBEREITUNG ca. 20 Minuten
Die **Kartoffeln** pellen und in 1 cm große Würfel schneiden. Die **Möhre** schälen und in kleine Würfel schneiden. Den **Rotkohl** waschen und in feine Streifen schneiden. Das **Olivenöl** in einer Pfanne erhitzen und die Kartoffelwürfel darin bei mittlerer bis starker Hitze ca. 3 Minuten anbraten. Dann Möhren und Rotkohl hinzufügen und weitere 5 Minuten braten. Mit **Salz, Pfeffer** und **Muskat** abschmecken.
Für die Sauce **Cashewmus** und **Zitronensaft** mit 50 ml Wasser cremig vermengen. Mit **Salz** und **Pfeffer** abschmecken.
Die **Gemüsechips** zerbröseln. 8–10 **Salatblätter** abzupfen, waschen und trocken schleudern. Jeweils etwas Füllung daraufgeben. Mit Cashewcreme und zerbröselten Gemüsechips für den Crunch toppen.

AH! Nimm am besten die Salatherzen als Ganzes und die anderen Komponenten in Behältern mit. Wenn dich der Hunger packt, brichst du die Salatblätter ab, packst Füllung, Sauce und Crunch drauf und haust rein. Du kannst Salatblätter übrigens auch für andere Füllungen als Wraps benutzen – ein sehr gesunder, köstlicher Snack!

SOMMERROLLEN MIT GLASNUDEL-GEMÜSE-FÜLLUNG, SWEET-CHILI-SAUCE UND ERDNUSSSAUCE

ZUTATEN für 8 Rollen

60 g Glasnudeln
Meersalz
3 EL Sojasauce
1 EL Walnussöl
½ TL rosenscharfes Paprikapulver
180 g Wirsing
180 g Rotkohl (brutto)
½ rote Paprikaschote
100 g Räuchertofu
2 EL Olivenöl
schwarzer Pfeffer aus der Mühle
2 Handvoll Minzeblättchen
2 Handvoll Korianderblättchen
8 runde Reispapierplatten
(für Sommerrollen; im Asia-
oder Bioladen)

Für die Erdnusssauce

4 Knoblauchzehen
2 EL Olivenöl
130 g Erdnussmus Crunchy
30 ml Sojasauce
10 ml Weißweinessig
1 ½ EL Apfelsüße
(alternativ Agavendicksaft)
1 EL Walnussöl
schwarzer Pfeffer aus der Mühle

Für die Sweet-Chili-Sauce
(siehe Frühlingsrollen, Seite 115)

ZUBEREITUNG ca. 60 Minuten (oder weniger, wenn nur ein Dip gemacht wird)

Für die Erdnusssauce den **Knoblauch** schälen und fein hacken. Das **Öl** in einem kleinen Topf erhitzen und den Knoblauch darin bei mittlerer Hitze 2 Minuten anbraten. **Erdnussmus** mit **Sojasauce, Essig, Apfelsüße, Walnussöl** und 20 ml Wasser cremig vermengen und in den Topf geben, Herd ausschalten, Sauce kurz umrühren und mit etwas **Pfeffer** würzen.

Für die Füllung die Glasnudeln in reichlich kochendem **Salzwasser** ca. 3 Minuten kochen. In einem Sieb abtropfen lassen. Mit **Sojasauce, Walnussöl** und **Paprikapulver** vermengen. **Wirsing** und **Rotkohl** waschen und in feine Streifen schneiden. **Paprika** waschen, entkernen und in feine Streifen schneiden. **Räuchertofu** in Streifen schneiden.

Das **Olivenöl** in einer kleinen Pfanne erhitzen und den Tofu darin 3 Minuten kräftig anbraten, mit **Salz** und **Pfeffer** würzen. Die **Kräuterblättchen** waschen und trocken tupfen.

Jeweils ein Reisblatt ca. 20 Sekunden in eine Schüssel mit kaltem Wasser legen. Anschließend auf der Arbeitsfläche ausbreiten und in die Mitte Glasnudeln, Wirsing, Rotkohl, Paprika, Tofu und Kräuter legen. Dann einrollen, an den Seiten einklappen und weiter einrollen.

Die Rollen können sofort gegessen werden, einfach einen der beiden Dips oder beide zubereiten und reindippen.

AH! Du kannst dich für eine der Saucen entscheiden oder beide zubereiten, wenn du viel Zeit hast. Ich mag besonders die Erdnusssauce, sie passt gut zu den leichten Rollen. Hast du wenig Zeit, kannst du sie auch nur mit Gemüse füllen, statt noch Glasnudeln zu kochen. Für unterwegs unbedingt mit Klarsichtfolie bedecken, sonst werden sie trocken.

TO-GO-BRÖTCHEN MIT ITALIENISCHER HACKFÜLLUNG

ZUTATEN für 4 Brötchen

Für den Teig

250 g Weizenmehl (Type 550) plus
etwas zum Bestäuben
½ Würfel frische Hefe (21 g)
1 TL Rohrzucker (ca. 3 g)
15 ml Olivenöl
¾ TL Meersalz

Für die Füllung

210 g Tofu Natur
½ rote Paprikaschote
(brutto ca. 90 g)
40 g getrocknete Tomaten in Öl
(abgetropft)
1 Handvoll Basilikumblättchen
2 EL Olivenöl
Meersalz
schwarzer Pfeffer aus der Mühle
1 TL Paprikapulver
(edelsüß oder rosenscharf)
40 g Tomatenmark
100 g geriebener veganer Käse
1 EL gehackte frische
Oreganoblättchen
40 g Sonnenblumenkerne

AH! Die Brötchen kannst du wunderbar
mitnehmen, achte nur darauf, dass du
sie in einer festen Verpackung mit-
nimmst. Du kannst sie einfrieren und
nach Bedarf im Backofen aufbacken.

ZUBEREITUNG ca. 35 Minuten plus ca. 25 Minuten Backzeit und ca. 1 Stunde 20 Minuten Gehzeit

Für den Teig das **Mehl** in eine Schüssel geben und in die Mitte eine kleine Mulde drücken. 50 ml lauwarmes Wasser in die Mulde gießen. Die **Hefe** darüber zerbröseln, den **Zucker** dazugeben und 10 Minuten mit einem Geschirrtuch bedeckt an einem warmen Ort gehen lassen.

Anschließend 70 ml lauwarmes Wasser, **Olivenöl** und **Salz** dazugeben und alles mit dem Knethaken des Rührgeräts oder den Händen zu einem glatten Teig kneten. Zugedeckt an einem warmen Ort ca. 40 Minuten gehen lassen. Anschließend mit etwas **Mehl** bestäuben und den Teig in 4 Teile aufteilen.

Für die Füllung den **Tofu** mit einer Gabel oder den Händen zerbröseln. Die **Paprika** waschen, entkernen und in kleine Stücke schneiden. Die **getrockneten Tomaten** fein hacken. **Basilikumblättchen** waschen, trocken tupfen und fein hacken. Das **Olivenöl** in einer Pfanne erhitzen und den Tofu darin 3 Minuten bei starker Hitze unter häufigem Rühren anbraten. Anschließend mit **Salz** und **Pfeffer** würzen. Paprika und **Paprikapulver** dazugeben und bei mittlerer bis starker Hitze weitere 3 Minuten braten. **Tomatenmark** dazugeben und verrühren. Dann getrocknete Tomaten, veganen **Käse**, Basilikum und **Oregano** dazugeben, den Käse kurz schmelzen lassen und alles mit **Salz** und **Pfeffer** abschmecken.

Jeweils eines der 4 Teigstücke auf der Arbeitsfläche etwas platt drücken, ein Viertel der Füllung in die Mitte geben, den Teig nach oben falten und zudrücken. Die Brötchen mit der Naht nach unten auf ein mit Backpapier belegtes Backblech legen. Die Oberfläche mit einem Pinsel mit etwas Wasser bestreichen und die **Sonnenblumenkerne** darüber verteilen. Mit einem Geschirrtuch abdecken und 30 Minuten gehen lassen.

Den Backofen auf 200 °C Ober-/Unterhitze (180 °C Umluft) vorheizen. Die Brötchen im Backofen ca. 20 Minuten auf der mittleren Schiene backen. Dann noch einmal weitere 5 Minuten bei eingeschalteter Grillfunktion backen oder das Blech in die oberste Schiene schieben, damit die Brötchen leicht Farbe bekommen. Anschließend abkühlen lassen.

DIPS

A. GUACAMOLE

ZUTATEN für 2 Personen

3 Avocados (brutto ca. 800 g)
3 EL frisch gepresster Limettensaft
Meersalz
schwarzer Pfeffer aus der Mühle
100 g Tortillachips

ZUBEREITUNG ca. 10 Minuten

Die **Avocados** halbieren, den Kern entfernen und das Fruchtfleisch mit einem Löffel in einen Mixer löffeln. **Limettensaft** dazugeben. Alles pürieren und mit **Salz** und **Pfeffer** abschmecken. Die **Tortillachips** zum Dippen mit der Guacamole servieren.

B. ATTILAS HUMMUS

ZUTATEN für 2 Personen

350 g gekochte Kichererbsen
(Glas oder Dose; Abtropfgewicht)
70 g dunkles Tahin
(Mus aus ungeschältem Sesam)
3 EL frisch gepresster Zitronensaft
1 ½ TL gemahlener Kreuzkümmel
¼ TL Zimt
¼ TL gemahlenes Kurkuma
1 ½ EL Olivenöl
Meersalz
schwarzer Pfeffer aus der Mühle
Außerdem
½ Handvoll Petersilienblättchen
1–2 TL edelsüßes Paprikapulver
zum Bestreuen
3 EL Olivenöl zum Beträufeln
Gemüse und Pitabrot zum Dippen

ZUBEREITUNG ca. 10 Minuten

Die **Kichererbsen** in ein Sieb geben, waschen und abtropfen lassen. Alle **Zutaten** mit 60 ml Wasser im Mixer oder mit dem Pürierstab zu einer cremigen Masse pürieren. Mit **Salz** und **Pfeffer** abschmecken.
Hummus in eine Schüssel geben. **Petersilienblättchen** waschen und trocken tupfen. Hummus mit **Paprikapulver,** den Petersilienblättchen und **Olivenöl** garnieren. **Gemüsesticks** (z. B. Möhren, Staudensellerie, Rote Bete, Paprika) und **Pitabrot** dazu servieren.

AH! Hummus ist super für Sandwiches oder zum Dippen mit backfrischem Brot oder Gemüsesticks. Mache den Hummus fertig, kaufe unterwegs ein paar knackige Möhren oder Selleriestangen oder etwas Brot und du kannst wunderbar überleben. Die Dip-Beilagen verändern dabei die Stufe. Tortillachips sind zum Beispiel Stufe 2.

BABA GHANOUSH

ZUTATEN für 2 Personen

3 Auberginen (brutto ca. 900 g)

2 EL frisch gepresster Limettensaft
(von ½–1 Limette)

2 EL Olivenöl

1 TL gemahlener Kreuzkümmel

60 g Tahin (Sesammus)

Meersalz

schwarzer Pfeffer aus der Mühle

¼ Granatapfel

Paprikapulver
(edelsüß oder rosenscharf)

ein paar Basilikumblättchen

4 Scheiben Ciabatta (mit Ciabatta
Stufe 3; mit Vollkornbrot Stufe 2)

**ZUBEREITUNG ca. 20 Minuten plus
ca. 30 Minuten Backzeit**

Den Backofen auf 220 °C Ober-/Unterhitze (180 °C Umluft) vorheizen. Die **Auberginen** mehrmals mit einer Gabel oder der Messerspitze einstechen. Auf einen Backrost oder ein mit Backpapier ausgelegtes Backblech legen und im Ofen 30–35 Minuten backen. Abkühlen lassen, längs halbieren, das Fruchtfleisch mit einem Esslöffel herauslöffeln. Auberginenfruchtfleisch mit **Limettensaft, Olivenöl, Kreuzkümmel** und **Tahin** im Mixer glatt pürieren. Mit **Salz** und **Pfeffer** würzen. Eine große Schüssel mit Wasser füllen. Das **Granatapfelviertel** unter Wasser auseinanderbrechen. Die Kerne sinken dabei auf den Boden, das helle, ungenießbare Fruchtfleisch steigt an die Oberfläche. Das Fruchtfleisch mit einem Sieb abfischen, den Rest aus der Schüssel in ein Sieb gießen und die Kerne heraussammeln. Baba Ghanoush auf Teller oder in Schüsseln geben, mit **Paprikapulver** und Granatapfelkernen bestreuen und mit **Basilikum** garnieren. Mit dem **Ciabatta** servieren.

AH! Ein Klassiker, der hier nicht fehlen darf. Am besten schmeckt mir Baba Ghanoush mit etwas krossem Brot, aber auch Gemüsesticks passen dazu. Die Aubergine unbedingt rundherum einstechen, sonst platzt sie im Ofen und du musst erst mal putzen.

PAPRIKA-OFENBAGUETTE

ZUTATEN für 2 Personen

1 rote Paprikaschote
1 gelbe Paprikaschote
1 Tomate
¼ Bund Basilikum
5 Thymianzweige
2 EL Olivenöl
½ TL Apfelsüße
(alternativ Agavendicksaft)
Meersalz
schwarzer Pfeffer aus der Mühle
1 Baguette (ca. 17 cm lang)
1 EL geriebener veganer Käse (20 g)

ZUBEREITUNG ca. 25 Minuten

Den Backofen auf 220 °C Ober-/Unterhitze (200 °C Umluft) vorheizen.
Die **Paprikaschoten** waschen, halbieren, entkernen und in dünne Streifen schneiden. Die **Tomate** waschen und in kleine Stücke schneiden. Das **Basilikum** waschen, trocken schütteln, die Blättchen abzupfen und grob hacken. **Thymianzweige** waschen, trocken schütteln und die Blättchen abzupfen.
Das **Olivenöl** in einer Pfanne erhitzen. Paprika und Thymian darin 4 Minuten bei mittlerer bis starker Hitze anbraten. Dann **Apfelsüße** und Tomaten dazugeben, mit **Salz** und **Pfeffer** würzen und das Basilikum unterheben.
Das **Baguette** halbieren, auf beide Hälften die Paprika-Tomaten-Mischung geben und mit veganem **Käse** toppen. Auf ein mit Backpapier ausgelegtes Backblech geben und im Backofen 10–12 Minuten auf der mittleren Schiene backen, bis der Käse geschmolzen und das Baguette kross ist.

AH! Das Baguette kannst du gut vorbereiten, denn es ist super zum Mitnehmen und schmeckt auch kalt sehr lecker.

METTBRÖTCHEN

ZUTATEN für ca. 4 Brötchenhälften

40 g Reiswaffeln (5 Stück)
1 kleine Zwiebel (netto ca. 65 g)
50 g Tomatenmark
30 g Biomargarine
Meersalz
schwarzer Pfeffer aus der Mühle
4 Brötchenhälften

ZUBEREITUNG ca. 12 Minuten

Die **Reiswaffeln** mit den Händen zerbröseln.
Die **Zwiebel** schälen und fein hacken. In einer
Schüssel das **Tomatenmark** mit 85 ml Wasser
vermengen und die **Margarine** unterheben.
Nun die Reiswaffeln dazugeben und mit einem
Kartoffelstampfer kurz etwas zerstampfen. Die
Zwiebeln dazugeben, verrühren und mit **Salz**
und **Pfeffer** würzen. Für 30 Minuten in den Kühlschrank stellen.
Dann auf den **Brötchenhälften** verteilen.

AH! Ich war bisher viermal bei „TV total" – es gab
jedes Mal etwas zu lachen und Stefan Raab hat's
geschmeckt. Er liebt Mettbrötchen, ich glaube,
ich bringe ihm nächstes Mal welche mit. Mal
sehen, was der Experte und gelernte Metzger sagt!
Pimpen kannst du das Rezept mit Paprika, etwas
Grillgewürz und Senf.

KARTOFFEL-SESAM-BÄLLCHEN MIT AVOCADO-ORANGEN-DIP

ZUTATEN für 2 Personen

Für die Kartoffel-Sesam-Bällchen

4 große Kartoffeln (gekocht netto 480 g)
Meersalz
½ Bund Basilikum
½ EL Kartoffelstärke
3 EL gehackte Petersilie
schwarzer Pfeffer aus der Mühle
60 g Sesam
5–6 EL Olivenöl

Für den Avocado-Orangen-Dip

1 ½ Avocados (netto ca. 130 g)
50 g Cashewmus
80 ml frisch gepresster Orangensaft (von ca. ½ Orange)
Meersalz
schwarzer Pfeffer aus der Mühle

ZUBEREITUNG ca. 30 Minuten mit gekochten, ca. 70 Minuten mit ungekochten Kartoffeln

Die **Kartoffeln** 25–30 Minuten in **Salzwasser** weich kochen. Abgießen, abkühlen lassen und pellen. Durch eine Kartoffelpresse drücken oder mit einem Stampfer zu Kartoffelstampf verarbeiten. Das **Basilikum** waschen, trocken schütteln, die Blättchen abzupfen und fein hacken.

Die zerstampften Kartoffeln mit **Kartoffelstärke,** Basilikum und **Petersilie** vermengen und mit **Salz** und **Pfeffer** würzen. Den **Sesam** in eine kleine Schüssel geben. Die Kartoffelmasse zu etwa walnussgroßen Bällchen formen und im Sesam wälzen.

Das **Öl** in einer Pfanne erhitzen. Die Kartoffelbällchen darin bei mittlerer bis starker Hitze ca. 10 Minuten von allen Seiten anbraten.

Für den Dip die **Avocados** entkernen und das Fruchtfleisch mit einem Löffel herauslösen.

Mit **Cashewmus** und **Orangensaft** im Mixer oder mit dem Pürierstab pürieren und mit **Salz** und **Pfeffer** abschmecken.

Die Bällchen mit dem Dip so genießen oder auf kleine Spieße spießen.

AH! Am besten nimmst du Kartoffeln vom Vortag, das geht am schnellsten. Der Teig hält durch die Kartoffelstärke gut zusammen. Forme die Masse zu festen Bällchen und brate sie vorsichtig an. Super für unterwegs oder für Partys.

EIERSALAT-BROTE

ZUTATEN für 4–5 Brotscheiben
240 g Tofu Natur
60 g Essiggurken (abgetropft)
½ Bund Schnittlauch
4–5 Scheiben Vollkornbrot
Für die Mayo
180 ml ungesüßte Sojamilch
100 ml Öl
1 TL Johannisbrotkernmehl
½ EL Essig
1 TL Senf
1 TL gemahlenes Kurkuma
Meersalz
schwarzer Pfeffer aus der Mühle
1 Prise Kala Namak

ZUBEREITUNG ca. 15 Minuten
Den **Tofu** abtropfen lassen, mit etwas Küchenpapier abtupfen und in 0,5 cm große Würfel
schneiden. Die **Essiggurken** fein hacken.
Für die Mayonnaise **Sojamilch, Öl, Johannisbrotkernmehl, Essig, Senf** und **Kurkuma** in
einen Mixer geben und ca. 2 Minuten pürieren, bis eine cremige Masse entstanden ist.
Mit **Salz** und **Pfeffer** abschmecken.
Tofu, Mayo und Essiggurken in einer Schüssel
vermengen, nun nach Geschmack **Kala Namak**
dazugeben – je nachdem, wie stark es nach
Ei schmecken soll (1 Prise bis 1 Messerspitze
reicht für gewöhnlich).
Schnittlauch waschen, trocken schütteln und
in feine Röllchen schneiden.
Den Eiersalat auf die **Brote** geben und mit
Schnittlauch garnieren.

AH! Ich gehe fast jede Wette ein,
dass niemand einen Unterschied
zu echtem Eiersalat schmecken
wird. Der Vorteil bei meinem:
kein Cholesterin, keine gesättigten
Fettsäuren, dafür viel Eiweiß und
ein leichter Genuss. Das Schwefelsalz
Kala Namak findest du beim Biodealer. Eier schmecken vor allem
nach Schwefel, das kann man durch
dieses Salz auch ohne Tierhaltung
hinbekommen.

KLEINE SPARGELQUICHES MIT PAPRIKA, KIRSCHTOMATEN UND HAFER-THYMIAN-CREME

ZUTATEN für 2 Personen (6 kleine Quiches)

Für den Teig

200 g Dinkelmehl (Type 630)
100 g Biomargarine (Zimmertemperatur) plus etwas für die Form
1 gestr. TL Meersalz

Für den Belag

200 g Hafersahne
1 EL Speisestärke (18 g)
½ TL getrockneter Thymian
½ rote Zwiebel (netto ca. 50 g)
½ gelbe Paprikaschote (netto ca. 60 g)
100 g Kirschtomaten
330 g grüner Spargel
30 g Biomargarine
Meersalz
schwarzer Pfeffer aus der Mühle

AH! Die Quiches kannst du wunderbar vorbereiten und dann einfach unterwegs kalt essen oder sie noch mal kurz im Ofen erwärmen. Neben Hafersahne gibt es mittlerweile viele Sahnealternativen wie Reis-, Soja- und Mandelsahne.

ZUBEREITUNG ca. 35 Minuten plus ca. 55 Minuten Backzeit

Den Backofen auf 200 °C Ober-/Unterhitze (180 °C Umluft) vorheizen. **Mehl, Margarine** und **Salz** in eine Schüssel geben und mit dem Knethaken des Rührgeräts oder den Händen zu einem mürben Teig verkneten. Falls der Teig zu trocken wird, eventuell 1–2 EL Wasser dazugeben.

Kleine Quicheförmchen mit etwas **Margarine** einfetten, den Teig in 6 Portionen aufteilen und gleichmäßig in die Förmchen drücken. Den Teig mit einer Gabel am Boden mehrmals einstechen und im Ofen 15 Minuten vorbacken.

Die **Hafersahne** mit **Speisestärke** und **Thymian** verquirlen. Die **Zwiebel** schälen und in Ringe schneiden. Die **Paprika** waschen, entkernen und in Streifen schneiden. Die **Kirschtomaten** waschen und halbieren. Den **Spargel** waschen, die holzigen Enden abschneiden und die Stangen schräg in Scheiben schneiden.

Die **Margarine** in einer Pfanne erhitzen und die Zwiebeln darin bei mittlerer bis starker Hitze 1 Minute anbraten. Paprika und Spargel dazugeben und 2 weitere Minuten braten. Dann die Hafer-Thymian-Creme dazugeben, 20 Sekunden erhitzen, von der Platte ziehen, kräftig mit **Salz** und **Pfeffer** abschmecken und zum Schluss die Tomaten unterheben.

Vorgebackenen Teigboden aus dem Ofen nehmen und die Füllung darauf verteilen. Quiches 40 Minuten auf der mittleren Schiene backen.

TOFU-FETA

ZUTATEN für 1 Glas (500 ml)
Für den Tofu
280 g fester Tofu Natur
1 Handvoll Basilikumblättchen
1 Rosmarinzweig
35 ml Olivenöl
2 Lorbeerblätter
½ Biozitrone
3 gestr. TL Meersalz
schwarzer Pfeffer aus der Mühle
Zum Einlegen
3 Knoblauchzehen
3 rote Chilischoten
1 Rosmarinzweig
1 Handvoll Basilikumblättchen
250–300 ml Olivenöl

ZUBEREITUNG ca. 30 Minuten plus mindestens 2 Stunden Ziehzeit
Den **Tofu** in die Größe von Fetawürfeln schneiden. **Basilikum** und **Rosmarin** waschen. Alle **Zutaten** für den Tofu mit 360 ml Wasser in einem Topf aufkochen und anschließend bei mittlerer Hitze 7 Minuten köcheln lassen. Dann abkühlen und ca. 1 Stunde durchziehen lassen. Durch ein Sieb abgießen und den Tofu heraussammeln.
Zum Einlegen die **Knoblauchzehen** schälen, **Chili, Rosmarin** und **Basilikum** waschen. Tofu, Knoblauch, Chili, Rosmarin und Basilikum in ein Glas geben und mit **Olivenöl** auffüllen.
1 Stunde im Kühlschrank durchziehen lassen, dann kann man ihn schon essen. Je länger er zieht, umso aromatischer wird er.

AH! Beim Köcheln in der Lake verändert der Tofu die Konsistenz und den Geschmack. Danach legst du ihn ein und kannst ihn so mehrere Tage im Kühlschrank aufbewahren. Wann immer dich die Lust packt, kannst du mit dem Tofu-Feta einen Salat verfeinern, eine Brotzeit machen oder ihn einfach ohne alles naschen.

SANDWICH SUPERSTARS

BAGUETTE „RELAX" MIT HUMMUS, GEBRATENER AUBERGINE UND PESTO

ZUTATEN für 2 Personen
Für das Hummus
240 g gekochte Kichererbsen
(Glas oder Dose; Abtropfgewicht)
½ Biozitrone
50 g dunkles Tahin
(Mus aus ungeschältem Sesam)
Meersalz
schwarzer Pfeffer aus der Mühle
Für die Baguettes
½ Aubergine
1 Tomate
2 ½ EL Olivenöl
Meersalz
schwarzer Pfeffer aus der Mühle
80 g Rotkohl (brutto)
1 Spritzer frisch gepresster
Zitronensaft
2 kurze Baguettes (15 cm lang)
oder 1 langes Baguette
(30 cm lang)
20 g Kartoffelchips
2 EL Pesto (Rezept siehe Seite 97)

ZUBEREITUNG ca. 25 Minuten
Für das Hummus die **Kichererbsen** in einem Sieb waschen und abtropfen lassen. Ein Viertel der Schale der **Zitrone** abreiben und 1 EL Saft auspressen. Kichererbsen, Zitronensaft und -schale, **Tahin** und 4 EL Wasser im Mixer oder mit dem Pürierstab cremig pürieren. Mit **Salz** und **Pfeffer** abschmecken. Die **Aubergine** und die **Tomate** waschen und in dünne Scheiben schneiden. 2 EL **Olivenöl** in einer Pfanne erhitzen und die Aubergine darin auf beiden Seiten je 2 Minuten braten. Mit **Salz** und **Pfeffer** würzen und herausnehmen.
Den Backofen auf 220 °C Ober-/Unterhitze (200 °C Umluft) vorheizen.
Den **Rotkohl** waschen, in feine Streifen hobeln oder mit einem Messer fein schneiden. Restliches **Olivenöl** in der Pfanne erhitzen und den Rotkohl darin 2 Minuten anbraten, dann den **Zitronensaft** dazugeben und mit **Salz** und **Pfeffer** würzen. **Baguette(s)** längs halbieren und im Ofen 3 Minuten kross backen.
Reichlich Hummus auf den unteren Baguettehälften verteilen. Zuerst etwas Rotkohl darauflegen, dann die Auberginen- und Tomatenscheiben, zuletzt die **Kartoffelchips**. Die oberen Baguettehälften mit **Pesto** bestreichen und die untere Hälfte damit bedecken.

AH! Ein Fest für die Sinne – das ist ein richtiges Wohlfühlsandwich! Kürze die Kochzeit ab, indem du vorbereiteten Hummus oder ein gekauftes Produkt verwendest. Das gilt auch fürs Pesto.

THE BEST CLUBSANDWICH EVER

ZUTATEN für 2 Sandwiches

Für die Mayo

½ Knoblauchzehe

140 ml Reismilch

70 ml Olivenöl

½ EL Weißweinessig (12 g)

1 ½ TL Johannisbrotkernmehl (6 g)

Meersalz

schwarzer Pfeffer aus der Mühle

Für die Toasts

100 g Räuchertofu

100 g veganes Hähnchenfilet
(Bioladen)

3 EL Biomargarine

Meersalz

schwarzer Pfeffer aus der Mühle

4 Blätter von einem Romana-
Salatherz

½ rote Zwiebel

2 Radieschen

1 Tomate

¼ Salatgurke

½ Avocado

6 Scheiben Toastbrot

1 Tüte Kartoffelchips

AH! Ich reise viel international
und es ist leider ein Trauerspiel,
was man als Veganer in Hotels
vorgesetzt bekommt. Dieses Club-
sandwich wäre doch mal was für
den Room Service, oder?

ZUBEREITUNG ca. 20 Minuten

Für die Mayo den **Knoblauch** schälen. Mit allen anderen **Zutaten** in einem Mixer oder mit dem Pürierstab cremig mixen. Mit **Salz** und **Pfeffer** abschmecken.

Den **Räuchertofu** in dünne Scheiben und das vegane **Hähnchenfilet** in Streifen schneiden. 1 EL **Margarine** in einer Pfanne erhitzen. Tofu und veganes Hähnchen darin ca. 3 Minuten auf jeder Seite anbraten. Mit **Salz** und **Pfeffer** würzen. Die **Salatblätter** waschen und trocken tupfen. Die **Zwiebel** schälen und in Ringe schneiden. **Radieschen, Tomate** und **Gurke** waschen und in feine Scheiben schneiden. **Avocado** entkernen, das Fruchtfleisch mit einem Löffel herauslösen und anschließend in feine Scheiben schneiden. Die **Toasts** im Toaster oder im Backofen (220 °C Ober-/Unterhitze; 200 °C Umluft) kurz rösten. Die restliche **Margarine** auf allen Toastscheiben verstreichen, dann etwas Mayo daraufstreichen. Auf 2 Scheiben ein Salatblatt, ein paar Hähnchen-streifen und die Radieschen- und Gurkenscheiben verteilen. Dann 2 bestrichene Toastscheiben mit der bestrichenen Seite nach oben darauflegen. Darauf wieder ein Salatblatt, eine Tomatenscheibe, Räuchertofu, Avocado und Zwiebel legen. Nun die restlichen bestrichenen Toastscheiben umgedreht darauflegen und damit abschließen. Diagonal schneiden und genießen.

Unterwegs passen dazu **Kartoffelchips**.

REUBEN SANDWICH

ZUTATEN für 2 Personen
Für das Thousand-Island-
Dressing
1 Zwiebel (brutto ca. 75 g)
30 g Gewürzgurken (abgetropft)
50 g weißes Mandelmus
50 g Ketchup
Meersalz
schwarzer Pfeffer aus der Mühle
Für den Belag
180 g Räuchertofu
3 EL Olivenöl
1 Msp. rosenscharfes
Paprikapulver
1 Msp. gemahlener Koriander
1 Msp. gemahlene Gewürznelken
Meersalz
schwarzer Pfeffer aus der Mühle
2 EL Cashewmus
2 Handvoll Sauerkraut (ca. 200 g)
Außerdem
4 Scheiben Sauerteigbrot

ZUBEREITUNG ca. 20 Minuten
Für das Dressing die **Zwiebel** schälen und
fein hacken. Die **Gewürzgurken** ebenfalls fein
hacken. Das **Mandelmus** mit dem **Ketchup**
und 20 ml Wasser mixen, Zwiebeln und
Gewürzgurken dazugeben und mit **Salz** und
Pfeffer abschmecken.
Für den Belag den **Räuchertofu** in ganz feine
Scheiben schneiden. Das **Olivenöl** in einer
Pfanne erhitzen und den Tofu darin 2 Minuten
anbraten. **Gewürze** und 3 EL Wasser dazugeben und mit **Salz** und **Pfeffer** abschmecken.
Das **Brot** im Toaster oder im Backofen (220 °C
Ober-/Unterhitze; 200 °C Umluft) kurz leicht
kross anrösten. 2 Scheiben mit je 1 EL **Cashewmus**, die anderen beiden mit reichlich Dressing
bestreichen. Eine Hälfte des Räuchertofus auf
den mit Dressing bestrichenen Scheiben verteilen, darüber eine Handvoll **Sauerkraut** geben.
Die mit Cashewmus bestrichene Scheibe umgedreht darüberklappen und genießen.

AH! Das Reuben Sandwich gibt es sehr oft an
der Ostküste der USA, vor allem in New York.
Ich habe auf gut Glück ein Rezept entwickelt,
obwohl ich das echte Sandwich mit Fleisch nicht
kenne. Ich finde es sehr gelungen, saftig und
würzig. Nimmst du es mit, achte darauf, dass das
Sauerkraut nicht sehr feucht ist, und tupfe es
vorher lieber etwas ab. Damit die Brotscheiben
nicht durchnässen, toaste sie kurz vorher und
wickle das Sandwich dann vorsichtig ein.

BEST FALAFEL IN TOWN

ZUTATEN für 2 Personen
(ca. 9 Falafelbällchen)
80 g getrocknete Kichererbsen
1 Bund Petersilie (ca. 40 g)
½ Zwiebel
½ gestr. TL Zimt
½ gestr. TL gemahlener
Kreuzkümmel
¾ gestr. TL Meersalz
300 ml Pflanzenöl zum Frittieren
Für die Sesam-Knoblauch-Sauce
2 Knoblauchzehen
120 g Tahin (Sesammus)
3 EL frisch gepresster Zitronensaft
(ca. 23 ml)
Meersalz
schwarzer Pfeffer aus der Mühle
Für die scharfe Sauce
1 rote Chilischote (ca. 20 g)
50 ml Orangensaft
35 ml Olivenöl
50 g Cashewmus
½ TL gemahlener Kreuzkümmel
Meersalz
schwarzer Pfeffer aus der Mühle
Außerdem
2 Pitabrote
1 Handvoll Grünkohl (alternativ
1 Romana-Salatherz)
4 Kirschtomaten
¼ Salatgurke
½ Möhre
½ rote Zwiebel

ZUBEREITUNG ca. 40 Minuten plus Einweichzeit
über Nacht
Die **Kichererbsen** über Nacht in reichlich kaltem
Wasser einweichen. Am nächsten Tag in ein Sieb
geben, waschen und abtropfen lassen. Die **Petersilie**
waschen, trocken schütteln und grob hacken. Die
Zwiebel schälen und fein hacken.
Die Kichererbsen in einen Mixer geben und kurz
pürieren (sie sollten noch leicht stückig sein). Dann
Zwiebeln, Petersilie, 1 ½ EL Wasser, **Gewürze** und
Salz dazugeben und erneut kurz durchmixen.
Das **Öl** in einem kleinen Topf bei mittlerer bis starker
Hitze erhitzen. Aus dem Teig kleine Bällchen formen
(je ca. 22 g schwer) und im Öl 5 Minuten frittieren.
Auf einem mit Küchenpapier ausgelegten Teller
abtropfen lassen.
Den Backofen auf 220 °C Ober-/Unterhitze (200 °C
Umluft) vorheizen.
Für die Sesam-Knoblauch-Sauce den **Knoblauch**
schälen. Mit **Tahin, Zitronensaft** und 100 ml Wasser
im Mixer cremig pürieren und mit **Salz** und **Pfeffer**
abschmecken.
Für die scharfe Sauce die **Chili** waschen und mit allen
anderen **Zutaten** im Mixer cremig pürieren. Mit **Salz**
und **Pfeffer** abschmecken.
Die **Pitabrote** kurz im vorgeheizten Backofen erwärmen. Den **Grünkohl** vom Strunk abzupfen, waschen
und trocken schleudern. **Tomaten** und **Gurke** waschen.
Die Tomaten in Viertel und die Gurke in kleine Stücke
schneiden. Die **Möhre** schälen und mit dem Sparschäler
in feine Streifen schneiden. Die **Zwiebel** schälen und in
feine Streifen schneiden.
Das Brot innen mit den Saucen bestreichen, Kohl,
Bällchen, Tomate, Gurke, Zwiebel und Möhre hineingeben und mit noch mehr Sauce toppen.

AH! Am besten machst du mehr Falafelmasse, frittierst die
Bällchen und frierst sie dann ein. So hast du immer frische
Falafeln im Haus. Einfach über Nacht im Kühlschrank wieder
auftauen und dann mittags in die Pfanne hauen.

CIABATTA CAPRESE

ZUTATEN für 2 Personen
1 Ciabatta (mit Vollkornbrot
Stufe 2; ca. 22 cm lang)
350 g Tofu Natur
1–2 EL Biomargarine
Meersalz
schwarzer Pfeffer aus der Mühle
1 große Tomate
½ Handvoll Basilikumblättchen
Für das Pistazienpesto
(reicht für 4 Personen)
½ Bund Basilikum
(ca. 20 g Blättchen)
65 ml Olivenöl
1 TL frisch gepresster Zitronensaft
50 g geschälte, ungesalzene
Pistazien
Meersalz
schwarzer Pfeffer aus der Mühle

ZUBEREITUNG ca. 30 Minuten
Den Backofen auf 220 °C Ober-/Unterhitze
(200 °C Umluft) vorheizen. Das **Ciabatta** aufschneiden und 7–10 Minuten kross backen.
Den **Tofu** in etwa 0,75 cm dicke Scheiben
schneiden und anschließend mit einem Glas
oder Ausstechring ausstechen. (Den Rest
zum Beispiel für eine Tofubolognese oder
Tofurührei aufheben.)
1 EL **Margarine** in einer Pfanne erhitzen und
den Tofu darin auf jeder Seite ca. 3 Minuten
anbraten, mit **Salz** und **Pfeffer** würzen. Je
nach Pfannengröße wieder etwas **Margarine**
erhitzen und den Rest des **Tofus** anbraten. Die
Tomate waschen und in Scheiben schneiden.
Für das Pesto das **Basilikum** waschen und die
Blättchen abzupfen. Mit allen anderen **Zutaten**
in einem Mixer grob pürieren und mit **Salz** und
Pfeffer abschmecken.
Das Ciabatta auf den Schnittseiten mit Pesto
einstreichen. Abwechselnd mit Tomaten-
und Tofuscheiben und mit Basilikumblättchen
belegen, mit etwas **Salz** und **Pfeffer** würzen
und zuklappen. Vor dem Essen einfach etwas
mit den Händen zusammendrücken, dann kann
man es besser essen.

AH! Pesto bereite ich zweimal in
der Woche zu. So habe ich es immer
griffbereit und spare viel Zeit. Es
schmeckt auch wunderbar mit in
Scheiben geschnittenem Tofu-Feta
(Rezept siehe Seite 145).

WRAPS „VENICE BEACH"

ZUTATEN für 2–4 Personen
(4 Wraps)
Für den Teig (4 Tortillas)
215 g Weizenmehl plus etwas zum
Bestäuben (Type 550)
30 ml Olivenöl
½ TL Meersalz
Für den Lemon-Tempeh
200 g Tempeh (Bioladen)
40 g Biomargarine
Saft und abgeriebene Schale von
¼ Biozitrone
1 TL Agavendicksaft
Meersalz
schwarzer Pfeffer aus der Mühle
Für die Füllung
80 g Grünkohl
(alternativ Babyspinat)
120 g Kirschtomaten
½ Avocado
60 g Quinoa
(ca. 140 g gekochte Quinoa)
Meersalz
40 g Sonnenblumenkerne
Für das Ranch-Dressing
2 Knoblauchzehen
200 g Cashewmus
4 TL Walnussöl
1 TL Senf
2 TL Essig (18 g)
140 ml Reismilch
1 TL edelsüßes Paprikapulver
1 TL Agavendicksaft
Meersalz
schwarzer Pfeffer aus der Mühle

ZUBEREITUNG ca. 60 Minuten
Für den Lemon-Tempeh den **Tempeh** in 1 cm dicke Scheiben
schneiden und diese dann vierteln. Die **Margarine** in einer
Pfanne erhitzen und den Tempeh darin bei mittlerer bis
starker Hitze ca. 4 Minuten anbraten. **Zitronenschale** und
-saft mit dem **Agavendicksaft** vermengen. Zum Tempeh
geben, 1 Minute rühren und vom Herd nehmen. Mit **Salz**
und **Pfeffer** würzen.
Für das Dressing die **Knoblauchzehen** schälen und durch
die Knoblauchpresse drücken. Alle **Zutaten** mit einem
Pürierstab oder im Mixer cremig mixen und mit **Salz** und
Pfeffer abschmecken.
Die **Grünkohlblätter** vom Strunk lösen, waschen und trocken
schleudern. Die **Kirschtomaten** waschen und vierteln. **Avocado** entkernen, das Fruchtfleisch mit einem Löffel heraus-
lösen und in Würfel schneiden.
Quinoa in leicht **gesalzenem** Wasser 17 Minuten kochen
und in einem Sieb abtropfen lassen.
Währenddessen für den Teig das **Mehl** mit **Öl**, 100 ml Wasser
und **Salz** in einer großen Schüssel vermengen und mit dem
Knethaken des Rührgeräts oder mit den Händen gut durch-
kneten. Die Arbeitsfläche mit etwas **Mehl** bestäuben, den
Teig vierteln und zu Kugeln formen. Jede Kugel auf der
Arbeitsfläche mit etwas **Mehl** bestäuben und mit einem
Nudelholz kreisrund ausrollen.
Eine Pfanne bei mittlerer bis starker Hitze erwärmen und den
Tortillateig darin ohne Fett auf jeder Seite 1 Minute braten.
Etwas Dressing auf den Tortillafladen verstreichen, Grün-
kohl, Quinoa, Avocado, Tomaten und Tempeh darauflegen,
die **Sonnenblumenkerne** daraufstreuen und die Fladen ein-
rollen. Den unteren Teil mit Alufolie oder Butterbrotpapier
umwickeln. Dazu das restliche Dressing servieren.

AH! Fruchtiges Lemon-Tempeh vereint sich hier mit Tomate,
Quinoa, Avocado und cremigem Ranch-Dressing. Grünkohl
ist super für Wraps, denn er weicht nicht so schnell durch.
Nimm das Dressing separat mit und toppe deinen Wrap kurz
vor dem Genuss.

GEMÜSEDÖNER

ZUTATEN für 2 Döner

½ türkisches Fladenbrot
¾ Aubergine
1 Zucchini
½ rote Paprikaschote
1 Tomate
⅙ Salatgurke
2–3 EL Olivenöl
Meersalz
schwarzer Pfeffer aus der Mühle
½ Zwiebel
80 g Rotkohl (brutto)
½ Handvoll Petersilienblättchen
20 g Kartoffelchips

Für die Dönersauce

300 g Sojajoghurt Natur
50 g getrocknete Tomaten in Öl
(abgetropft)
1 TL getrockneter Oregano
1 EL Agavendicksaft (16 g)
1 EL Weißweinessig
1 TL rosenscharfes Paprikapulver
Meersalz
schwarzer Pfeffer aus der Mühle

ZUBEREITUNG ca. 25 Minuten

Den Backofen oder eine Grillpfanne vorheizen
(Backofen: 220 °C Ober-/Unterhitze; 200 °C Umluft)
und das **Fladenbrot** darin ca. 5 Minuten anrösten.
Aubergine, Zucchini, Paprika, Tomate und **Salat-
gurke** waschen. Aubergine und Zucchini in dünne
Scheiben schneiden. Die Paprika entkernen und in
feine Streifen schneiden.
Das **Öl** in einer Pfanne erhitzen. Aubergine, Zucchini
und Paprika rundum 2–3 Minuten anbraten und mit
Salz und **Pfeffer** würzen.
Zwiebel schälen und in feine Scheiben schneiden.
Gurke und Tomate in dünne Scheiben schneiden.
Den **Rotkohl** waschen und in feine Streifen hobeln
oder sehr fein schneiden. Die **Petersilienblättchen**
waschen und trocken tupfen.
Für die Dönersauce alle **Zutaten** in einem Mixer
oder mit dem Pürierstab cremig pürieren. Mit **Salz**
und **Pfeffer** abschmecken.
Das Brot in zwei Viertel schneiden, quer aufbrechen
oder -schneiden und mit Sauce bestreichen. Dann
den Rotkohl darauf verteilen, danach Aubergine,
Zucchini, Paprika, Tomate, Gurke, Zwiebel, **Kartoffelchips** und etwas Petersilie, mit etwas Sauce toppen
und zuklappen.

AH! In meiner Berliner Schulzeit war
Döner ein Grundnahrungsmittel, da
kann mir keiner was erzählen. Das Brot
unbedingt etwas im Ofen oder – noch
besser – in einer Brotpresse backen.
Wichtig für den Geschmack ist der
Rotkohl. Du kannst natürlich auch
noch etwas angebratenen Tofu oder
Seitan reinhauen.

SUPERFRUCHT-SANDWICH MIT ACAI-KONFITÜRE, ERDNUSSCREME UND MATCHA

ZUTATEN für 2 Sandwiches

Für die Acai-Konfitüre

160 g TK-Acai-Fruchtpüree
(alternativ Blaubeeren)
40 g Agavendicksaft
½ TL Agar-Agar

Für das Brot

4 Scheiben fluffiges Sauerteigbrot
2 EL Erdnussmus Crunchy
1 Handvoll ungesüßte Cornflakes
2 Prisen Matcha-Grüntee
1 Banane
50 g Rote Johannisbeeren

ZUBEREITUNG ca. 15 Minuten

Das **Acaipüree** mit **Agavendicksaft** und **Agar-Agar** mit einem Schneebesen in einem kleinen Topf verrühren (bei Verwendung von Blaubeeren alles im Mixer glatt pürieren) und anschließend unter Rühren aufkochen. Bei mittlerer Hitze 3–4 Minuten unter ständigem Rühren köcheln lassen. In ein Marmeladenglas füllen und abkühlen lassen.

2 **Brotscheiben** mit etwas Acai-Konfitüre bestreichen, jeweils 1 EL **Erdnussmus** darauf verteilen und die Hälfte der **Cornflakes** sowie 1 Prise **Matcha** darüberstreuen.

Die **Banane** schälen, in Scheiben schneiden und jeweils die Hälfte der Scheiben auf eine Brotscheibe legen. **Johannisbeeren** waschen, trocken tupfen, von den Stielen streifen und ein paar auf den Bananen verteilen. Die beiden anderen Brothälften mit etwas Acai-Konfitüre bestreichen, umdrehen und damit die Sandwiches abschließen.

AH! Acai-Tiefkühlpüree bekommst du beim Biodealer. Wenn er es nicht hat, frag einfach mal nach, ob er die Acai-Juice-Pads von Fine Fruits bestellen mag. Acai hat einen sehr hohen ORAC-Wert; die Erklärung zu ORAC findest du in „Vegan for Youth". Bereite die Konfitüre ruhig auf Vorrat zu, so geht das Rezept beim nächsten Mal noch schneller.

PANINI MIT KROSSEM RÄUCHERTOFU, TOMATEN, BASILIKUM UND VEGANEM KÄSE

ZUTATEN für 2 Personen
90 g Räuchertofu
2 EL Olivenöl
Meersalz
schwarzer Pfeffer aus der Mühle
2 Tomaten
½ Bund Basilikum
1 Ciabatta
2 EL weißes Mandelmus
3 EL geriebener veganer Käse

ZUBEREITUNG ca. 25 Minuten
Den **Räuchertofu** in dünne Scheiben schneiden. **Olivenöl** in einer Pfanne erhitzen und den Tofu darin auf beiden Seiten jeweils ca. 3 Minuten kross anbraten. Mit **Salz** und **Pfeffer** würzen. **Tomaten** waschen und in Scheiben schneiden. Das **Basilikum** waschen, die Blättchen abzupfen und in grobe Streifen schneiden.
Eine Paninipresse oder den Backofen vorheizen (220 °C Ober-/Unterhitze; 200 °C Umluft).
Das **Ciabatta** erst vertikal halbieren und dann horizontal aufschneiden. Beide Hälften mit **Mandelmus** bestreichen, dann Tofu, Tomatenscheiben, etwas **Salz** und **Pfeffer,** Basilikum und geriebenen **Käse** daraufgeben, zusammendrücken und in der Paninipresse oder im Ofen 10 Minuten backen. Anschließend die Hälften diagonal schneiden.

AH! Wenn du keine Paninipresse hast, beschwere das Ciabatta im Ofen mit einem Teller. Aber auch ungequetscht schmeckt dieses Sandwich sehr gut. Leckeren veganen Käse findest du mittlerweile sogar bei deinem Biodealer!

ANCIENT SAMURAI

ZUTATEN für 2 Sandwiches
180 g Tempeh (Bioladen)
2 EL Biomargarine plus etwas für
das Brot
3 EL Sojasauce
1 TL Reissirup
2 gestr. TL Asia-Gewürzmischung
(Bioladen)
Meersalz
80 g Sojasprossen
20 g Bananenchips
1 Handvoll Korianderblättchen
½ rote Chilischote
4 Scheiben fluffiges Sauerteigbrot
2 EL Erdnussmus Crunchy
20 g Kokoschips

ZUBEREITUNG ca. 20 Minuten
Den **Tempeh** in Scheiben schneiden. Die **Margarine** in einer Pfanne erhitzen und den Tempeh darin auf beiden Seiten je ca. 3 Minuten anbraten. Die **Sojasauce** mit **Reissirup** und **Asiagewürz** vermengen, in die Pfanne geben, kurz mit dem Tempeh vermischen und vom Herd nehmen. Eventuell mit etwas **Salz** nachwürzen.
Sojasprossen waschen und trocken schleudern. Die **Bananenchips** fein hacken. Die **Korianderblättchen** waschen, trocken tupfen und grob hacken. Die **Chili** waschen und in feine Streifen schneiden.
Das **Brot** in einer Grillpfanne, im Toaster oder im Backofen (220 °C Ober-/Unterhitze; 200 °C Umluft) kurz rösten.
Auf 2 Scheiben je 1 EL **Erdnussmus** verstreichen. Die Bananenchips daraufstreuen und den Tempeh darauflegen. Sprossen, Chili und Koriander darübergeben. Die **Kokoschips** als Topping darüberstreuen. Restliche Brotscheiben mit etwas **Margarine** bestreichen, umdrehen und das Sandwich zuklappen.

AH! Tempeh ist ein fermentiertes Produkt aus Sojabohnen, hat einen leicht nussigen Geschmack und ist proteinreich. Angebraten ist Tempeh superlecker. Dazu noch das Powerfood Erdnussmus und der Crunch durch getrocknete Bananen. Hätten Samurais Sandwiches geschmiert, dann bestimmt dieses!

WRAPS „MEXICO CITY"

ZUTATEN für 4 Wraps

Für den Teig (4 Tortillas)

215 g Weizenmehl plus etwas zum
Bestäuben (Type 550)

30 ml Olivenöl

½ TL Meersalz

Für die Bohnen

1 Zwiebel

240 g Kidneybohnen
(Glas oder Dose; Abtropfgewicht)

1 EL Biomargarine

½ TL gemahlener Koriander

½ TL gemahlener Kreuzkümmel

1 TL Agavendicksaft

Meersalz

schwarzer Pfeffer aus der Mühle

Für die übrige Füllung

80 g Vollkornreis (ergibt
160 g gekochten Reis)

Meersalz

1 Romana-Salatherz

120 g Salatgurke

1 rote Paprikaschote

40 g Tortillachips

160 g Guacamole

ZUBEREITUNG ca. 50 Minuten

Den **Reis** in leicht **gesalzenem** Wasser 35–40 Minuten kochen, anschließend in einem Sieb abtropfen lassen.

Währenddessen für den Teig **Mehl** mit **Öl,** 100 ml Wasser und **Salz** in einer großen Schüssel vermengen und mit dem Knethaken des Rührgeräts oder mit den Händen gut durchkneten. Die Arbeitsfläche mit etwas **Mehl** bestäuben, den Teig vierteln und die Viertel zu Kugeln formen. Mit etwas **Mehl** bestäuben und mit einem Nudelholz kreisrund ausrollen.

Eine Pfanne auf mittlere bis starke Hitze erwärmen und die Tortillas darin ohne Fett auf jeder Seite ca. 1 Minute backen. Dann zwischen leicht angefeuchtete Küchenhandtücher legen, damit die Fladen bis zur Verwendung weich bleiben.

Für die Bohnen die **Zwiebel** schälen und fein hacken. **Kidneybohnen** in einem Sieb kurz waschen und abtropfen lassen. Die **Margarine** in einer Pfanne erhitzen und die Zwiebeln darin 3 Minuten bei mittlerer Hitze anbraten. **Koriander, Kreuzkümmel** und **Agavendicksaft** dazugeben, etwas **salzen** und nochmals 1 Minute braten. Die Bohnen dazugeben und mit **Salz** und **Pfeffer** abschmecken.

Salat waschen, in Streifen schneiden und trocken schleudern. Die **Gurke** waschen und in kleine Würfel schneiden. Die **Paprika** waschen, halbieren, entkernen und in feine Streifen schneiden. Die **Tortillachips** mit den Händen in eine Schüssel zerkrümeln. Tortillas mit **Guacamole** bestreichen, Salat, Gurke, Paprika, Bohnen, Tortillachips und Reis daraufgeben und mit **Salz** und **Pfeffer** würzen. Anschließend die Wraps einrollen und den unteren Teil in Butterbrotpapier oder Alufolie wickeln.

AH! Wenn du Zeit hast, mach die Tortillas selbst, es lohnt sich. Hast du sie nicht, kaufst du eben fertige. Du kannst die Wraps für unterwegs bis auf die Guacamole füllen. Die nimm lieber separat mit und beträufele sie mit etwas Zitronensaft oder lege ein paar Zitronenscheiben darauf.

BUDDHA-ORANGE-SANDWICH MIT KÜRBISPASTE, GERÖSTETEM GEMÜSE UND PESTO

ZUTATEN für 2 Sandwiches

1 rote Zwiebel
½ Blumenkohl
½ Zucchini
¼ Aubergine
1 EL Olivenöl
Meersalz
4 Scheiben fluffiges Sauerteigbrot
1 Romana-Salatherz

Für die Kürbispaste

½ Hokkaido-Kürbis (netto ca. 450 g, gebacken ca. 360 g)
1 EL Olivenöl
Meersalz
40 g Cashewmus
schwarzer Pfeffer aus der Mühle

Für das Pistazienpesto

½ Bund Basilikum
(ca. 20 g Blättchen)
60 ml Olivenöl
1 TL frisch gepresster Zitronensaft
50 g geschälte, ungesalzene Pistazien
Meersalz
schwarzer Pfeffer aus der Mühle

ZUBEREITUNG ca. 35 Minuten

Den Backofen auf 240 °C Ober-/Unterhitze (220 °C Umluft) vorheizen.

Die **Zwiebel** schälen und in etwas dickere Ringe schneiden. Die **Blumenkohlröschen** abtrennen und in 0,75 cm dicke Scheiben schneiden, dann kurz waschen und abtropfen lassen.

Zucchini und **Aubergine** waschen und beides in 0,5 cm dicke Scheiben schneiden. Den **Kürbis** für die Creme waschen, vierteln und in ca. 1 cm große Würfel schneiden.

Alles Gemüse, bis auf die Kürbiswürfel, in eine Schüssel geben, mit 1 EL **Olivenöl** und etwas **Salz** vermengen und auf einer Hälfte des Backblechs verteilen. Den Kürbis ebenfalls mit 1 EL **Öl** und **Salz** vermengen und auf der anderen Hälfte des Blechs verteilen. Im Backofen auf der mittleren Schiene 12–15 Minuten backen.

Für die Kürbispaste den gebackenen Kürbis mit einem Kartoffelstampfer zerstampfen oder fein hacken, mit **Cashewmus** vermengen und mit **Salz** und **Pfeffer** abschmecken.

Für das Pesto das **Basilikum** waschen und die Blättchen abzupfen. Mit allen anderen **Zutaten** in einem Mixer oder mit dem Pürierstab grob pürieren und mit **Salz** und **Pfeffer** abschmecken.

Die **Brotscheiben** im Toaster toasten oder im Backofen kurz anrösten (220 °C Ober-/Unterhitze; 200 °C Umluft). Den **Salat** in Streifen schneiden, waschen und trocken schleudern.

Auf 2 Brothälften reichlich Kürbispaste geben, erst etwas Salat und dann das geröstete Gemüse darauf verteilen. Auf die anderen Brotscheiben reichlich Pesto geben, umdrehen und das Sandwich damit vollenden.

AH! Ich bereite die Kürbispaste immer in größeren Mengen zu, so habe ich am nächsten Tag noch was im Kühlschrank, wenn es schnell gehen muss. Falls du mal wieder Kürbispommes machst und nicht alles schaffst, mach daraus diese Paste. Super auch einfach so als Brotaufstrich!

SALAD POWER

CAESAR SALAD MIT CASHEW-DRESSING UND OREGANO-CROÛTONS

ZUTATEN für 2 Personen

220 g Romanasalat
(2–3 Salatherzen)

Für das Cashew-Dressing

70 g Cashewmus
30 ml Weißweinessig
1 EL frisch gepresster Zitronensaft
etwas abgeriebene Schale von
1 Biozitrone
3 EL Olivenöl
1 TL Agavendicksaft
Meersalz
schwarzer Pfeffer aus der Mühle

Für die Oregano-Croûtons

1 ½ Scheiben Ciabatta (ca. 60 g)
1 EL Olivenöl
½ TL getrockneter Oregano
Meersalz

Für den Bacon

60 g Räuchertofu
2 EL Olivenöl
Meersalz
schwarzer Pfeffer aus der Mühle

Für den Cashew-Parmesan

40 g Cashewkerne
6 g Hefeflocken
¼ TL Meersalz

ZUBEREITUNG ca. 30 Minuten

Den Backofen auf 220 °C Ober-/Unterhitze (200 °C Umluft) vorheizen.

Für das Cashew-Dressing alle **Zutaten** mit 4 EL (30 ml) Wasser in einer Schüssel mit einem Schneebesen oder Löffel cremig rühren und mit **Salz** und **Pfeffer** abschmecken.

Für die Croûtons das **Brot** in Würfel schneiden, in einer Schüssel mit **Olivenöl, Oregano** und etwas **Salz** vermengen und im Backofen auf einem mit Backpapier belegten Blech 15 Minuten backen.

Den **Räuchertofu** in kleine Würfel schneiden. Das **Öl** in einer Pfanne erhitzen und den Tofu darin ca. 4 Minuten kross anbraten. Mit **Salz** und **Pfeffer** würzen.

Für den Cashew-Parmesan die **Cashewkerne** mit **Hefeflocken** und **Salz** im Mixer zu einem Pulver mahlen.

Die **Salatblätter** abzupfen, waschen, in Streifen schneiden und trocken schleudern.

Den Salat nach Geschmack mit Dressing vermengen, auf Teller verteilen und nach Belieben mit Croûtons, Räuchertofuwürfeln und etwas Cashew-Parmesan toppen.

AH! Ich wünschte, ich würde solche Salate unterwegs bekommen. Doch hier ist leider oft noch Fehlanzeige. Stattdessen gibt es die Essig-Öl-Nummer – sehr traurig, auch für das Salatblatt!

CURRY-QUINOA-SALAT MIT BLAUBEERKICK UND PEKANNÜSSEN

ZUTATEN für 2 Personen
140 g Quinoa (ca. 300 g gekochte Quinoa)
Meersalz
1 rote Zwiebel
3 EL Olivenöl
2 TL Curry
50 g Pekannüsse plus ein paar Nüsse für die Deko
180 g Blaubeeren
1 EL frisch gepresster Zitronensaft

ZUBEREITUNG ca. 15 Minuten mit gekochter, ca. 30 Minuten mit ungekochter Quinoa

Die **Quinoa** in einem feinen Sieb kurz unter fließendem Wasser waschen. In einem kleinen Topf in kochendem **Salzwasser** bei mittlerer bis starker Hitze 15–17 Minuten offen kochen. Die **Zwiebel** schälen und fein hacken.
2 EL **Olivenöl** in einer kleinen Pfanne erhitzen und die Zwiebelstücke darin ca. 4 Minuten bei mittlerer Hitze anschwitzen. Das **Currypulver** einrühren und 1 Minute anschwitzen. Den größten Teil der **Pekannüsse** grob hacken. Die **Blaubeeren** waschen.
Quinoa in eine große Schüssel geben, Curryzwiebeln, **Zitronensaft** und restliches **Olivenöl** dazugeben, alles gut vermengen und mit **Salz** abschmecken. Zum Schluss Blaubeeren und gehackte Pekannüsse unterheben und mit ein paar ganzen **Pekannüssen** dekorieren.

AH! Quinoa habe ich fast immer vorgekocht in der Küche. Im Kühlschrank hält sie sich so mehrere Tage – das spart richtig Zeit. Blaubeeren und Pekannüsse enthalten sehr viele Antioxidantien. Blaubeeren haben einen ORAC-Wert von 9.300, Pekannüsse sogar 17.940.

CALIFORNIA BAY SALAD

ZUTATEN für 2 Personen

120 g Babyspinat

½ Granatapfel

100 g gekochte Kichererbsen

(Glas oder Dose; Abtropfgewicht)

1 Brokkoli (brutto ca. 200 g)

3 EL Olivenöl

Meersalz

schwarzer Pfeffer aus der Mühle

1 Avocado

Für das Dressing

1 TL Senf (12 g)

1 TL Agavendicksaft (10 g)

1 EL Cashewmus (23 g)

2 EL Walnussöl (20 g)

50 g TK-Acai-Fruchtpüree

(alternativ Blaubeeren)

½ EL frisch gepresster

Limettensaft

Meersalz

schwarzer Pfeffer aus der Mühle

Für das Sonnenblumenkern-

Topping

1 EL Olivenöl

30 g Sonnenblumenkerne

1 TL Curry

½ EL Reissirup

Meersalz

ZUBEREITUNG ca. 35 Minuten

Für das Dressing alle **Zutaten** im Mixer cremig pürieren und mit **Salz** und **Pfeffer** abschmecken. Für das Sonnenblumenkern-Topping das **Olivenöl** in einer Pfanne erhitzen und die **Sonnenblumenkerne** darin ca. 3 Minuten bei mittlerer bis starker Hitze rösten. **Curry** und **Reissirup** einrühren, vom Herd nehmen und mit **Salz** würzen.

Den **Spinat** waschen und trocken schleudern. Eine große Schüssel mit Wasser füllen und den halben **Granatapfel** unter Wasser auseinanderbrechen. Die Kerne sinken dabei auf den Boden, das helle, ungenießbare Fruchtfleisch steigt an die Oberfläche. Das Fruchtfleisch mit einem Sieb abfischen, den Rest der Schüssel in ein Sieb gießen und die Kerne heraussammeln. Die **Kichererbsen** in ein Sieb geben, kurz waschen und abtropfen lassen. Die **Brokkoliröschen** abtrennen, kurz waschen und abtropfen lassen.

Das **Olivenöl** in einer Pfanne erhitzen. Die Brokkoliröschen darin bei starker Hitze ca. 1 Minute anbraten, dann bei mittlerer Hitze ca. 5 Minuten unter mehrmaligem Rühren braten und mit **Salz** und **Pfeffer** abschmecken. Anschließend auf Küchenpapier abtropfen lassen.

Die **Avocado** halbieren, den Kern entfernen, das Fruchtfleisch mit einem Löffel herauslösen und in kleine Stücke schneiden.

Alle Salatzutaten in eine Schüssel geben, nach Geschmack das Dressing darüber verteilen und mit karamellisierten Sonnenblumenkernen toppen.

AH! Kichererbsen gibt es trocken und fertig gekocht aus dem Glas oder der Dose. Deutlich preiswerter sind die trockenen Kichererbsen, bei denen man aber das Einweichen beachten muss (ca. 12 Stunden). Das macht sie aber auch bekömmlicher. Am besten immer beides im Haus haben! Ich verwende öfter die fertig gekochten.

QUINOTTO

ZUTATEN für 2 Personen

230 g Quinoa
1 rote Zwiebel
1 Knoblauchzehe
2 Möhren (brutto ca. 250 g)
1 Stange Staudensellerie
(brutto ca. 70 g)
5 Thymianzweige
2 EL Olivenöl
1 EL frisch gepresster Zitronensaft
100 g Sojasahne
Meersalz
schwarzer Pfeffer aus der Mühle

ZUBEREITUNG ca. 25 Minuten

Quinoa kurz in einem Sieb waschen. **Zwiebel** und **Knoblauchzehe** schälen und fein hacken. Die **Möhren** schälen und in kleine Würfel schneiden. Den **Staudensellerie** waschen und in kleine Würfel schneiden. Die **Thymianzweige** waschen, trocken schütteln und die Blättchen abzupfen.

Das **Olivenöl** in einem mittelgroßen Topf erhitzen. Die Zwiebeln darin 2 Minuten bei mittlerer bis starker Hitze anschwitzen. Den Knoblauch dazugeben und 1 Minute bei mittlerer Hitze braten. Die Möhren- und Selleriewürfel hinzufügen und 2 Minuten anbraten. Dann Quinoa, Thymianblättchen und 420 ml Wasser dazugeben, aufkochen und ca. 12 Minuten bei mittlerer Hitze unter häufigem Rühren köcheln lassen. Abschließend **Zitronensaft** und **Sojasahne** unterrühren und mit **Salz** und **Pfeffer** abschmecken.

AH! Quinoa war das Kraftkorn der Inkas und enthält viel Eiweiß und Mineralstoffe, dabei ist es komplett glutenfrei. Der Vorteil ist, dass Quinoa beim Kochen schnell gar ist. Dazu kommt eine sehr angenehme Konsistenz. Mach dir am besten eine größere Menge, du kannst das Quinotto auch am nächsten Tag noch essen, sogar kalt.

SOBANUDELSALAT MIT ERBSEN, PAPRIKA, AVOCADO UND SESAM-INGWER-DRESSING

ZUTATEN für 2 Personen

130 g Rotkohl (brutto)
½ Avocado
50 g grüne Erbsen
Meersalz
1 Möhre
2 Frühlingszwiebeln
½ gelbe Paprikaschote
180 g Sobanudeln (Bioladen)
1 EL Olivenöl
20 g Sesam

Für das Sesam-Ingwer-Dressing

1 Knoblauchzehe
1 fingerkuppengroßes Stück
Ingwer (gehackt 1 TL)
½ rote Chilischote
1 EL frisch gepresster Limettensaft
(12 g)
3 EL Sesamöl (30 g)
2 EL Sojasauce (10 g)
1 TL Reissirup (4 g)
1 EL Cashewmus (24 g)
½ TL Curry

ZUBEREITUNG ca. 45 Minuten

Für das Dressing **Knoblauch** und **Ingwer** schälen und fein hacken. Die **Chili** waschen und fein hacken. **Limettensaft,** 1 EL Wasser (12 ml) und alle anderen **Zutaten** für das Dressing mit einem Schneebesen in einer kleinen Schüssel vermengen.

Den **Rotkohl** in feine Streifen schneiden. Den Kern aus der **Avocado** entfernen, das Fruchtfleisch mit einem Löffel herauslösen und würfeln. Die **Erbsen** 3 Minuten in kochendem **Salzwasser** garen und dann in einem Sieb abtropfen lassen. Die **Möhre** schälen und mit einem Gemüsehobel in Spaghettiform schneiden oder mit einer Reibe raspeln. Die **Frühlingszwiebeln** waschen und diagonal in feine Ringe schneiden. Die **Paprika** waschen, entkernen und in kleine Würfel schneiden. Die **Sobanudeln** ca. 4 Minuten in kochendem **Salzwasser** kochen. Dann durch ein Sieb abgießen, mit kaltem Wasser abschrecken und das **Olivenöl** darübergeben, damit sie nicht verkleben.

Die Sobanudeln mit dem Dressing vermengen und vorsichtig die Avocado und das Gemüse unterheben. Mit **Sesam** bestreuen.

AH! Sobanudeln bekommst du bei deinem Biodealer. Sie sind aus dem glutenfreien und sehr gesunden Buchweizen hergestellt. Für hauchdünne Gemüsestreifen besorgst du dir am besten einen Gemüsehobel. Der Salat schmeckt auch kalt wunderbar – die Japaner, die die Sobanudel erfunden haben, essen sie traditionell nur kalt.

KARTOFFELSALAT MIT PAPRIKA, RADIESCHEN UND MAYO

ZUTATEN für 2 Personen
1 kg festkochende Kartoffeln
Meersalz
1 Bund Radieschen
(ca. 100 g netto)
1 rote Zwiebel
½ rote Paprikaschote (ca. 40 g)
100 g Essiggurken
½ Bund Petersilie
Für die Mayo
200 ml ungesüßte Sojamilch
150 ml Pflanzenöl
1 TL Weißweinessig
½ TL mittelscharfer Senf
1 TL Johannisbrotkernmehl (5 g)
½ TL Apfelsüße (oder Agavendicksaft bzw. 1 TL Reissirup)
Meersalz
schwarzer Pfeffer aus der Mühle

ZUBEREITUNG ca. 30 Minuten mit gekochten, ca. 60 Minuten mit ungekochten Kartoffeln

Die **Kartoffeln** 25–30 Minuten in **Salzwasser** weich kochen. Dann in einem Sieb abtropfen lassen, kurz mit kaltem Wasser abschrecken und abkühlen lassen.

Währenddessen für die Mayo alle **Zutaten** in einem Mixer oder mit dem Pürierstab cremig pürieren und mit **Salz** und **Pfeffer** abschmecken. Die **Radieschen** waschen, putzen und in dünne Scheiben schneiden. Die **Zwiebel** schälen und fein hacken. Die **Paprika** waschen, entkernen und in feine Streifen schneiden. Die **Gurken** in Scheiben schneiden. Die **Petersilie** waschen, trocken schütteln und fein hacken.

Die Kartoffeln pellen und in Scheiben schneiden. Mit allen anderen Zutaten vermengen und eventuell noch einmal mit **Salz** und **Pfeffer** würzen.

AH! Die Mayo passt auch super zu Pommes. Im Kühlschrank hält sie sich maximal zwei Tage. Am schnellsten geht der Salat mit Kartoffeln vom Vortag und am besten schmeckt er, wenn du ihn mindestens eine Stunde durchziehen lässt. Unterwegs passt dazu super ein Tofuwürstchen.

CIABATTASALAT MIT KIRSCHTOMATEN

ZUTATEN für 2 Personen

2 rote Zwiebeln
2 Knoblauchzehen
60 g Pinienkerne
6 EL Olivenöl
1 kleines Ciabatta (ca. 240 g)
350 g Kirschtomaten
2 Avocados
1 Handvoll Basilikumblättchen
2 EL frisch gepresster Zitronensaft
Meersalz
schwarzer Pfeffer aus der Mühle

ZUBEREITUNG ca. 20 Minuten

Den Backofen auf 200 °C Ober-/Unterhitze (180 °C Umluft) vorheizen. **Zwiebeln** und **Knoblauchzehen** schälen und fein hacken. Die **Pinienkerne** in einer kleinen Pfanne ohne Fett 3–4 Minuten rösten. Aus der Pfanne nehmen, 2 EL **Olivenöl** in der Pfanne erhitzen und die Zwiebeln darin ca. 2 Minuten bei mittlerer Hitze anschwitzen. Dann den Knoblauch dazugeben und weitere 2 Minuten anschwitzen.

In der Zwischenzeit das **Ciabatta** in 1,5 cm große Würfel schneiden, auf einem mit Backpapier ausgelegten Backblech verteilen und im Backofen auf der mittleren Schiene ca. 7 Minuten backen.

Die **Tomaten** waschen und halbieren. Die **Avocados** längs halbieren, den Kern entfernen und das Fruchtfleisch mit einem Löffel herauslösen. Anschließend in Würfel schneiden. Die **Basilikumblättchen** waschen und abtropfen lassen.

Die Brotwürfel mit Avocado, Tomaten, Pinienkernen, Zwiebeln, Knoblauch, Basilikum, restlichem **Olivenöl** und **Zitronensaft** in eine Schüssel geben, alles vermischen und mit **Salz** und **Pfeffer** abschmecken.

AH! Diesen Salat kannst du idealerweise zubereiten, wenn du etwas trockenes Brot wie Ciabatta übrig hast. So ähnlich war früher ein typisches Resteessen italienischer Bauern. Das Brot wird durch die Tomaten und das gute Öl wieder etwas weicher. Die Avocado verleiht dem Salat eine cremige Textur.

MEXICAN SALAD MIT PAPRIKA, TORTILLACHIPS, REIS UND LIMETTEN-KORIANDER-DRESSING

ZUTATEN für 2 Personen

100 g gekochte Vollkornreis-
Mischung mit Wildreis
(50 g ungekochter Reis)
Meersalz
2 Romana-Salatherzen
(brutto ca. 220 g)
¼ rote Zwiebel
½ rote Paprikaschote
½ gelbe Paprikaschote
1 Avocado
60 g Mais (Abtropfgewicht;
Glas oder Dose)
160 g Kidneybohnen
(Abtropfgewicht; Glas oder Dose)
90 g Kirschtomaten
80 g Salatgurke
50 g Tortillachips

**Für das Limetten-Koriander-
Dressing**

1 EL gehackter frischer Koriander
2 EL frisch gepresster Limettensaft
35 ml Olivenöl
1 TL gehackte rote Chilischote
30 g Ketchup
1 TL Reissirup (12 g)
½ TL gemahlener Kreuzkümmel
½ TL gemahlener Koriander
20 g Cashewmus
Meersalz
schwarzer Pfeffer aus der Mühle

**ZUBEREITUNG ca. 20 Minuten mit vor-
gekochtem und ca. 55 Minuten mit unge-
kochtem Reis**

Den **Reis** in leicht **gesalzenem** Wasser gemäß Packungsanweisung 35–40 Minuten kochen und dann in einem Sieb abtropfen lassen.
Die **Salatblätter** abzupfen, in Streifen schneiden, waschen und trocken schleudern.
Die **Zwiebel** schälen und fein würfeln. Die **Paprika-schoten** entkernen und in kleine Stücke schneiden. Die **Avocado** halbieren, entkernen, mit einem Löffel das Fruchtfleisch herauslösen und in Stücke schneiden. **Mais** und **Kidneybohnen** in einem Sieb waschen und abtropfen lassen. Die **Kirschtomaten** waschen und vierteln. Die **Gurke** waschen und in kleine Stücke schneiden. Die **Tortillachips** mit den Händen in eine Schüssel zerkrümeln.
Für das Dressing alle **Zutaten** in einer Schüssel mit einem Schneebesen oder Löffel vermengen, bis die Konsistenz cremig ist, und mit **Salz** und **Pfeffer** abschmecken.
Alle Zutaten für den Salat in eine große Schüssel geben, nach Geschmack das Dressing dazugeben und alles gut vermischen.

AH! Kürze das Rezept ab und nimm am besten Reis vom Vortag, denn Vollkornreis braucht eine gefühlte Ewigkeit, bis er fertig ist. Nimm vier Komponenten für den Salat in verschiedenen Schalen mit, wenn du unterwegs bist: Salat, Gemüse und Reis, Dressing und Chips. Vor Ort mischst du dann einfach alles zusammen.

WALDORFSALAT MIT CRANBERRYS UND LEBKUCHEN-NÜSSEN

ZUTATEN für 2 Personen
350 g Knollensellerie
2 Äpfel (brutto ca. 360 g)
100 g Cranberrys
abgeriebene Schale von ¼ Biozitrone
1 EL frisch gepresster Zitronensaft
220 g Sojajoghurt
2 EL Walnussöl (20 ml)
Meersalz
schwarzer Pfeffer aus der Mühle
Für die Lebkuchen-Nüsse
60 g Walnusskerne
2 ½ TL Agavendicksaft (13 g)
½ TL Lebkuchengewürz
Meersalz

ZUBEREITUNG ca. 20 Minuten
Den Backofen auf 200 °C Ober-/Unterhitze (180 °C Umluft) vorheizen. Die **Walnüsse** grob hacken und mit **Agavendicksaft, Lebkuchengewürz** und etwas **Salz** vermengen. Auf einem mit Backpapier ausgelegten Backblech verteilen und auf der mittleren Schiene 10 Minuten backen.
In der Zwischenzeit den **Sellerie** schälen und fein reiben. Die **Äpfel** waschen und ebenfalls bis zum Kerngehäuse reiben.
Sellerie, Äpfel, **Cranberrys, Zitronenschale und -saft, Sojajoghurt** und **Walnussöl** in einer Schüssel vermengen und alles mit **Salz** und **Pfeffer** abschmecken.
Mit den **Lebkuchen-Walnüssen** toppen.

AH! Nimm die Lebkuchen-Walnüsse separat mit, wenn du unterwegs bist, sie weichen sonst durch. Bewahre den Salat am besten im Kühlschrank auf, wenn du ihn nicht sofort isst.

ROTER QUINOASALAT MIT PAPRIKA, KICHERERBSEN UND TOMATEN

ZUTATEN für 2 Personen

170 g Quinoa (oder 380 g gekochte Quinoa)
Meersalz
1 große Zwiebel (brutto ca. 180 g)
½ rote Paprikaschote (brutto ca. 120 g)
½ rote Chilischote
3 EL Olivenöl
40 g Tomatenmark
1 gestr. TL Paprikapulver (rosenscharf oder edelsüß)
1 EL Ahornsirup
schwarzer Pfeffer aus der Mühle
130 g gekochte Kichererbsen (Glas oder Dose; Abtropfgewicht)
1 Handvoll Basilikumblättchen

AH! Ein sehr schneller und ganz einfacher Salat zum Mitnehmen, der auch kalt sehr gut schmeckt. Kichererbsen in der Dose habe ich immer im Vorratsschrank. Zeittipp: immer etwas vorgekochte Quinoa im Haus haben – für Salate oder Gemüsepfannen ist das ideal.

ZUBEREITUNG ca. 15 Minuten mit gekochter, ca. 30 Minuten mit ungekochter Quinoa

Quinoa in einem feinen Sieb kurz unter fließendem Wasser waschen. In einem kleinen Topf in kochendem **Salzwasser** bei mittlerer bis hoher Temperatur ca. 17 Minuten ohne Deckel kochen. Anschließend in einem feinen Sieb abtropfen lassen.

In der Zwischenzeit die **Zwiebel** schälen und fein hacken. Die **Paprika** waschen, entkernen und in kleine Stücke schneiden. Die **Chili** waschen und fein hacken.

2 EL **Olivenöl** in einer kleinen Pfanne erhitzen. Die Zwiebeln darin ca. 2 Minuten bei mittlerer bis starker Hitze anschwitzen. Paprika und Chili dazugeben und weitere 3 Minuten braten. **Tomatenmark, Paprikapulver, Ahornsirup** und 4 EL Wasser hinzufügen und 1 weitere Minute unter Rühren braten. Dann kräftig mit **Salz** und **Pfeffer** abschmecken.

Kichererbsen in ein Sieb geben, kurz waschen und abtropfen lassen. **Basilikum** waschen und in Streifen schneiden.

Quinoa, Basilikum und Kichererbsen mit in die Pfanne geben, alles vermengen und mit **Salz** und **Pfeffer** abschmecken.

GRÜNKOHLSALAT MIT QUINOA, KIRSCHTOMATEN UND SESAMDRESSING

ZUTATEN für 2 Personen

200 g Grünkohl (alternativ Mangold
oder 150 g Spinat mit Stielen)

130 g Kirschtomaten

1 gelbe Paprikaschote

1 Avocado

4 EL gekochte Quinoa (oder 2 EL
Quinoa in kochendem Salzwasser
ca. 17 Minuten köcheln lassen)

20 g geröstete Haselnüsse

Für das Sesamdressing
(reicht für 2–3 Personen)

120 g Tahin (Sesammus)

60 ml Olivenöl

3 TL frisch gepresster Zitronensaft

2 Knoblauchzehen

Meersalz

schwarzer Pfeffer aus der Mühle

ZUBEREITUNG ca. 25 Minuten

Den **Grünkohl** waschen, trocken schleudern und die Blätter von den Stielen zupfen. Die **Kirschtomaten** waschen und vierteln. Die **Paprikaschote** halbieren, entkernen und in kleine Würfel schneiden. Die **Avocado** halbieren, den Kern entfernen, das Fruchtfleisch mit einem Löffel herauslösen und in kleine Stücke schneiden.

Für das Dressing alle **Zutaten** mit etwa 100 ml Wasser im Mixer oder mit dem Pürierstab pürieren. Den Grünkohl so mit 4–6 EL Dressing vermengen, dass er leicht umhüllt ist. Auf Teller verteilen und Kirschtomaten, Paprika, Avocado, **Quinoa** und zum Schluss geröstete **Haselnüsse** darübergeben.

AH! Falls du keinen Grünkohl bekommst, kannst du auch Spinat, Spitzkohl oder Mangold nehmen – ganz nach deinem Geschmack. Der beste Grünkohl ist der Babygrünkohl – den gibt es aber leider nur bei ausgewählten Bauern.

KARTOFFELSALAT MIT RÄUCHERTOFU, KIRSCHTOMATEN UND SENFDRESSING

ZUTATEN für 2 Personen

1,2 kg festkochende Kartoffeln
Meersalz
140 g Räuchertofu
1 rote Zwiebel
40 g Biomargarine
schwarzer Pfeffer aus der Mühle
3 Frühlingszwiebeln
(brutto ca. 70 g)
110 g Kirschtomaten
1 EL Schnittlauchröllchen
1 EL gehackte Petersilie
etwas Kresse für die Deko

Für das Senfdressing

270 ml Gemüsebrühe
40 g mittelscharfer Senf
1 EL Apfelsüße
(alternativ Agavendicksaft)
3 EL Weißweinessig
40 g Biomargarine

ZUBEREITUNG ca. 40 Minuten mit gekochten und ca. 60 Minuten mit ungekochten Kartoffeln

Die **Kartoffeln** 25–30 Minuten in **Salzwasser** weich kochen. Anschließend in einem Sieb kurz mit kaltem Wasser abschrecken, abkühlen lassen und pellen.

Den **Räuchertofu** in kleine Würfel schneiden. Die **Zwiebel** schälen und fein hacken. Die **Margarine** in einer Pfanne erhitzen. Räuchertofu darin bei starker Hitze 3 Minuten anbraten. Die Zwiebeln dazugeben und weitere 2 Minuten bei mittlerer Hitze braten. Dann mit **Salz** und **Pfeffer** würzen.

Für das Dressing **Gemüsebrühe, Senf, Apfelsüße, Essig** und **Margarine** in einem Topf leicht erwärmen, sodass die Margarine schmilzt.

Die **Frühlingszwiebeln** waschen und in feine Streifen schneiden. **Kirschtomaten** waschen und halbieren. Gekochte Kartoffeln in Scheiben schneiden, mit dem Senfdressing vermengen und 3 Minuten ruhen lassen. Tomaten, Tofu, Zwiebeln, Frühlingszwiebeln und **Kräuter** dazugeben und noch einmal mit **Salz** und **Pfeffer** abschmecken. Mit der **Kresse** dekorieren.

AH! Um Zeit zu sparen, nimm Kartoffeln vom Vortag. Würzigen Räuchertofu gibt's beim Biodealer. Beim Anbraten bekommt er eine leichte Specknote. Der Salat schmeckt am besten, wenn er eine Stunde durchgezogen ist.

GELBER LINSENSALAT MIT BUNTER PAPRIKA

ZUTATEN für 2 Personen

300 g gelbe Linsen
Meersalz
2 Frühlingszwiebeln
(brutto ca. 50 g)
½ rote Paprikaschote
(brutto ca. 120 g)
½ gelbe Paprikaschote
(brutto ca. 120 g)
½ orangefarbene Paprikaschote
(brutto ca. 120 g)
¼–½ rote Chilischote
1 ½ EL frisch gepresster
Limettensaft
1 Msp. Zimt
4 EL Olivenöl
schwarzer Pfeffer aus der Mühle

ZUBEREITUNG ca. 25 Minuten

Die **Linsen** in ein Sieb geben und kurz waschen.
600 ml Wasser in einem Topf zum Kochen
bringen und 1 TL **Salz** hinzufügen. Dann die
Linsen hineingeben und 12–15 Minuten bei
mittlerer Hitze kochen. Anschließend in einem
Sieb abtropfen lassen.
Die **Frühlingszwiebeln** waschen und schräg in
feine Ringe schneiden. Die **Paprika** waschen,
halbieren, entkernen und in kleine Würfel schneiden. Die **Chili** waschen und fein hacken.
Die Linsen mit Frühlingszwiebeln, Paprika, Chili,
Limettensaft, Zimt und **Olivenöl** vermengen
und mit **Salz** und **Pfeffer** abschmecken.

AH! Ein sehr schnell gemachter Salat, der nicht nur
supergesund, sondern auch sehr eiweißreich ist.
Linsen enthalten große Mengen Eisen. Vitamin C
aus der Paprika erhöht die Aufnahme des Eisens.

GERÖSTETER VANILLE-FENCHEL
MIT GRANATAPFEL UND MACADAMIA

ZUTATEN für 2 Personen
3 Fenchelknollen (netto ca. 800 g)
1 EL Cashewmus
2 EL Olivenöl
1 EL Agavendicksaft
1 gestr. TL gemahlene Vanille
30 ml Orangensaft
(von ca. ½ Orange)
Meersalz
30 g Macadamianüsse
½ Granatapfel

**ZUBEREITUNG ca. 20 Minuten plus
ca. 30 Minuten Backzeit**
Den Backofen auf 200 °C Ober-/Unterhitze (180 °C
Umluft) vorheizen. Den **Fenchel** waschen und den
unteren festen Teil sowie die oberen hölzernen
Spitzen abschneiden. Anschließend in 0,5 cm
dicke Scheiben schneiden.
Das **Cashewmus** mit **Olivenöl, Agavendicksaft,
Vanille** und **Orangensaft** verrühren und kräftig
mit **Salz** abschmecken. Zum Fenchel geben und
gut vermischen.
Den Fenchel auf einem mit Backpapier ausgelegten Backblech gleichmäßig verteilen. Im Ofen auf
der mittleren Schiene ca. 30 Minuten backen, bis
er leicht Farbe angenommen hat. Aus dem Ofen
nehmen und kurz abkühlen lassen. Anschließend
mit **Salz** abschmecken.
Die **Macadamianüsse** grob hacken. Eine große
Schüssel mit Wasser füllen, den halben **Granatapfel** unter Wasser auseinanderbrechen – die
Kerne sinken dabei auf den Boden, das helle, ungenießbare Fruchtfleisch steigt an die Oberfläche.
Das Fruchtfleisch mit einem Sieb abfischen, den
Rest der Schüssel durch ein Sieb gießen und die
Kerne heraussammeln.
Den gebackenen Fenchel mit Granatapfelkernen
und Macadamianüssen bestreuen und servieren.

AH! Auch wenn du Fenchel sonst nicht
magst: Probiere unbedingt dieses Rezept!
Es ist sogar eine echte Nummer für Faule,
denn die meiste Arbeit übernimmt dein
Backofen. Du kannst den Fenchel auch
etwas länger drin lassen, sodass er mehr
Farbe annimmt – äußerst lecker!

GRÜNER SALAT MIT TOPPINGS

ZUTATEN für 2 Personen
Für den Salat
2 Romana-Salatherzen
½ Avocado
140 g Kirschtomaten
100 g Salatgurke
Für das Dressing
60 ml Olivenöl
30 ml Essig
1 TL Senf (8 g)
1 EL Agavendicksaft
1 EL Schnittlauchröllchen
1 EL gehackte Petersilie
1 TL Cashewmus (14 g)
Meersalz
schwarzer Pfeffer aus der Mühle

ZUBEREITUNG ca. 10 Minuten plus
1–10 Minuten je nach Topping
Die **Salatblätter** ablösen, grob zerzupfen, waschen und trocken schleudern. Die **Avocado** entkernen, das Fruchtfleisch mit einem Löffel herauslösen und würfeln. Die **Tomaten** waschen und halbieren. Die **Gurke** waschen und in kleine Stücke schneiden.
Für das Dressing alle **Zutaten** in einer Schüssel vermengen und mit **Salz** und **Pfeffer** abschmecken. Nun die Toppings nach Geschmack zubereiten. Am besten schmecken alle zusammen. Hat man weniger Zeit, sucht man sich einfach etwas aus, z. B. nur Kartoffelwürfel und Kerne oder nur Tofu-Feta.

TOFU-FETA-TOPPING
8 Würfel Tofu-Feta
(Rezept siehe Seite 145)

ZWIEBELRING-TOPPING
1 weiße Zwiebel
2 EL Weizenmehl
5 EL Öl
Meersalz
schwarzer Pfeffer aus der Mühle

Die **Zwiebel** schälen, in feine Ringe schneiden und in die einzelnen Ringe trennen. In **Mehl** wenden und in der Pfanne in heißem **Öl** ca. 4 Minuten bei mittlerer bis starker Hitze anbraten. Auf einem mit Küchenpapier ausgelegten Teller abtropfen lassen und mit **Salz** und **Pfeffer** würzen.

PILZ-TOPPING
80 g Pilze (z. B. Seitlinge)
1 EL Olivenöl
Meersalz
schwarzer Pfeffer aus der Mühle

Pilze putzen, in Scheiben schneiden und in heißem **Öl** in einer Pfanne ca. 3 Minuten anbraten. Mit **Salz** und **Pfeffer** würzen.

KERNE-TOPPING
30 g Kerne (z. B. halb Sonnen-
blumen-, halb Kürbiskerne)

Kerne in einer kleinen Pfanne ohne Fett bei mittlerer bis starker Hitze ca. 3 Minuten anrösten.

RÖSTKARTOFFEL-TOPPING
1–2 Kartoffeln (netto ca. 120 g)
2 EL Öl
Meersalz
schwarzer Pfeffer aus der Mühle

Die **Kartoffeln** schälen und in etwa 1 cm große Würfel schneiden. Das **Öl** in einer Pfanne erhitzen und die Kartoffeln darin bei mittlerer Hitze ca. 5 Minuten goldgelb anbraten. Mit **Salz** und **Pfeffer** würzen.

MANGO-TOFU-SALAT AUF CHICORÉEBLÄTTERN MIT CHIPS-CRUNCH

ZUTATEN für 2 Personen
(6 Chicoréeblätter)
80 g weißes Mandelmus
2 TL Curry
1 TL Weißweinessig
Meersalz
40 g Frühlingszwiebeln
1 Mango (brutto ca. 470 g,
netto ca. 270 g)
230 g Tofu Natur
20 g Paprika-Kartoffelchips
1 Chicorée bzw. 6 Chicoréeblätter

ZUBEREITUNG ca. 20 Minuten
Mandelmus, Curry und **Essig** in einer Schüssel vermengen und kräftig mit **Salz** abschmecken. Die **Frühlingszwiebeln** waschen und schräg in feine Ringe schneiden. Drei Viertel davon zur Currysauce geben. Die **Mango** schälen, das Fruchtfleisch bis zum Kern abschneiden und würfeln. Den **Tofu** abtropfen lassen und in kleine Würfel schneiden. Die Mango- und Tofuwürfel in die Schüssel zur Sauce geben. Eventuell mit etwas **Salz** nachwürzen. Die **Chips** mit den Händen zerbröseln. Den Strunk vom **Chicorée** abschneiden und die Blätter abzupfen. Die Blätter waschen und in einer Salatschleuder trocken schleudern. Esslöffelweise die Curryfüllung daraufgeben. Mit den restlichen **Frühlingszwiebeln** und den Chipsbröseln bestreuen.

AH! Nimm alles separat mit: den Chicorée als Ganzes und in einem Behälter den Mango-Tofu-Salat und die Chips (entweder welche aus der Tüte oder selbst gemachte). So kannst du in der Pause ganz schnell und gesund snacken.

FABULOUS DRINKS

GRÜNE SMOOTHIES

A. XMAS

ZUTATEN für 1 großen Smoothie

30 g Babyspinat
110 g Salatgurke
1 Kiwi (netto ca. 60 g)
4 g Ingwer (netto)
1 Apfel (netto ca. 160 g)
35 g Agavendicksaft
80 ml Orangensaft
100 g Eiswürfel

ZUBEREITUNG ca. 7 Minuten

Den **Babyspinat** und die **Gurke** waschen, die Gurke grob zerkleinern. **Kiwi** und **Ingwer** schälen und grob zerkleinern. Den **Apfel** waschen, vierteln und entkernen. Alle **Zutaten** im Mixer fein cremig pürieren.

B. VANILLAROMA

ZUTATEN für 1 großen Smoothie

20 g Babyspinat
½ Banane (netto ca. 75 g)
280 ml ungesüßte Sojamilch
1 Prise Meersalz
1 TL gemahlene Vanille
40 g Agavendicksaft
70 g Eiswürfel

ZUBEREITUNG ca. 4 Minuten

Den **Babyspinat** waschen und die **Banane** schälen. Alle **Zutaten** im Mixer fein cremig pürieren.

C. BEACH DAY

ZUTATEN für 1 großen Smoothie

40 g Babyspinat
⅕ Ananas (netto ca. 160 g)
½ Banane
175 ml Orangensaft
40 g Agavendicksaft
80 g Eiswürfel

ZUBEREITUNG ca. 6 Minuten

Den **Babyspinat** waschen. Die **Ananas** schälen, den harten Kern entfernen und das Fruchtfleisch in grobe Stücke schneiden. 160 g abwiegen. Die **Banane** schälen. Alle **Zutaten** im Mixer fein cremig pürieren.

AH! Du bekommst durch grüne Smoothies das Extra an wichtigen Vitalstoffen grüner Blätter, nur ist mir in Juicebars oft zu viel Grünzeug drin. Meine Smoothies sind dahingehend optimiert. Du wirst, wenn überhaupt, nur einen Hauch wahrnehmen. Mein Liebling ist der Vanillaroma.

CHIA-DRINKS

A. OJ-CHIA

ZUTATEN für 1 Person

350 ml Orangensaft
1 TL Agavendicksaft (12 g)
30 g Chia-Samen

B. CHERRY-CHIA

ZUTATEN für 1 Person

350 ml Kirschsaft
1 TL Agavendicksaft (12 g)
30 g Chia-Samen

C. VANILLE-CHIA

ZUTATEN für 1 Person

350 ml Reismilch
1 Prise Meersalz
1 TL Agavendicksaft (12 g)
1 Msp. gemahlene Vanille
30 g Chia-Samen

ZUBEREITUNG jeweils ca. 10 Minuten

Für jeden Drink die **Zutaten** jeweils ohne die Chia-Samen in einem Glas oder einer Schüssel vermengen und die **Chia-Samen** mit einem Schneebesen oder einer Gabel einrühren. Kühl stellen und jeweils nach 5 und 10 Minuten sowie vor dem Servieren umrühren.

AH! Die Drinks bekommen durch die Chia-Samen eine total leckere Textur. Und: Sie schmecken nicht nur richtig witzig, sondern versorgen dich mit dem Plus an Omega-3-Fettsäuren und Mineralstoffen. Chia-Samen sind ein Superfood.

5 PROTEINSHAKES

A. KAFFEESHAKE

ZUTATEN für 1 großen Shake

70 ml gekochter Kaffee

380 ml Reismilch

50 g veganes Proteinpulver

1 Msp. gemahlene Vanille

1 ½ TL schwach entöltes

Kakaopulver (12 g)

Agavendicksaft (optional)

3 Eiswürfel

B. ERDBEERSHAKE

ZUTATEN für 1 großen Shake

120 g Erdbeeren

450 ml Reismilch

50 g veganes Proteinpulver

1 TL Agavendicksaft (eventuell

etwas mehr)

3 Eiswürfel

C. MATCHASHAKE

ZUTATEN für 1 großen Shake

450 ml Reismilch

50 g veganes Proteinpulver

1 TL Matcha

1 Prise Meersalz

Agavendicksaft (optional)

3 Eiswürfel

D. SCHOKOSHAKE

ZUTATEN für 1 großen Shake

450 ml Reismilch

50 g veganes Proteinpulver

1 Msp. gemahlene Vanille

1 ½ TL schwach entöltes

Kakaopulver (12 g)

1 Prise Meersalz

Agavendicksaft (optional)

3 Eiswürfel

E. VANILLESHAKE

ZUTATEN für 1 großen Shake

450 ml Reismilch

50 g veganes Proteinpulver

1 Msp. gemahlene Vanille

1 Prise Meersalz

Agavendicksaft (optional)

3 Eiswürfel

ZUBEREITUNG jeweils ca. 5 Minuten,
Erdbeershake ca. 7 Minuten

Für den Erdbeershake die **Erdbeeren** waschen und den Strunk entfernen. Für alle Shakes die **Zutaten** jeweils in einen Mixer geben und cremig mixen. Eventuell etwas mit **Agavendicksaft** nachsüßen. Jeden Shake in einem großen Glas mit **Eiswürfeln** servieren.

REFRESH DRINKS

A. LIMETTEN-LIMO
ZUTATEN für 2 Personen
1–2 Limetten (ca. 50 ml Saft)
500 ml kohlensäurehaltiges
Mineralwasser
70 g Agavendicksaft
5 Eiswürfel
plus einige Spalten von 1 Bio-
limette für die Deko

ZUBEREITUNG ca. 5 Minuten
Die **Limetten** auspressen, etwa 50 ml Saft
abmessen und mit den anderen **Zutaten** in
einer Schüssel vermengen. Nach Wunsch
einige **Limettenspalten** dazugeben.

B. AMARETTO-BANANEN-MILCH
ZUTATEN für 2 Personen
1 Banane
500 ml Reismilch
1 Msp. gemahlene Vanille
1 Msp. Zimt
30 g Apfelsüße
(alternativ Agavendicksaft)
1 EL Amaretto-Likör
1 Prise Meersalz
5 Eiswürfel

ZUBEREITUNG ca. 5 Minuten
Die **Banane** schälen und mit allen **Zutaten** im
Mixer cremig pürieren.

C. BROMBEER-MINZ-SHAKE
ZUTATEN für 2 Personen
110 g Brombeeren
80 g Himbeeren
1 Minzeblättchen
500 ml Reismilch
50 g Agavendicksaft
5 Eiswürfel

ZUBEREITUNG ca. 5 Minuten
Brombeeren, Himbeeren und **Minze** vorsichtig
waschen, abtropfen lassen und anschließend
alle **Zutaten** im Mixer cremig pürieren.

AH! Die Shakes und die Limo schmecken
eiskalt am besten. Deshalb habe ich immer
eine gefüllte Eiswürfelform im Tiefkühler. Für
unterwegs gibt es auf dem Markt hochwertige,
BPA-freie Transportbehälter für Flüssigkeiten,
die nicht auslaufen.

SWEET SENSATIONS

CAKE POPS

ZUTATEN für 19 Stück à 30 g

Für den Teig

160 g Weizenmehl (Type 550)

2 TL Backpulver

140 g Rohrzucker

1 Prise Meersalz

½ TL gemahlene Vanille

8 g Sojamehl

80 g ungesüßte Reismilch

80 g Biomargarine

250 g Cashewmus

Für das Topping

150 g weiße vegane Schokolade

150 g Zartbitterschokolade

(50 % Kakaogehalt)

30 g geschälte, ungesalzene

Pistazien

30 g Bananenchips

30 g getrocknete Gojibeeren

Außerdem

19 Holzstäbchen

(z. B. Schaschlikspieße)

AH! Verknete den gebackenen und gemahlenen Teig gut mit den anderen Zutaten, forme feste Kugeln und stelle sie danach in den Tiefkühler – so halten sie wunderbar zusammen, wenn du sie durch die Schokolade ziehst. Für den Superfood-Kick wälzt du die Cake Pops in Gojibeeren oder anderen Superfoods.

ZUBEREITUNG ca. 40 Minuten plus ca. 20 Minuten Backzeit plus ca. 1 Stunde 50 Minuten Kühlzeit

Den Backofen auf 180 °C Ober-/Unterhitze (160 °C Umluft) vorheizen. Das **Mehl** mit **Backpulver, Zucker, Salz, Vanille** und **Sojamehl** vermengen. **Reismilch** und **Margarine** dazugeben und alles mit dem Rührgerät zu einem glatten Teig verrühren. Den Teig auf einem mit Backpapier ausgelegten Backblech 1 cm hoch verstreichen und im Backofen auf der mittleren Schiene ca. 20 Minuten backen. Abkühlen lassen, dann zerbröseln und im Mixer fein mahlen.

Das **Cashewmus** unterheben, bis die Masse formbar ist. Zu Bällchen mit je etwa 30 g Gewicht formen, dabei gut festdrücken und im Tiefkühler ca. 20 Minuten kühlen lassen. Ein Holzstäbchen in jede Kugel stecken und nochmals 1 Stunde kühlen lassen.

Weiße und **dunkle Schokolade** separat in einem Wasserbad schmelzen. **Pistazien, Bananenchips** und **Gojibeeren** fein hacken. Die Bällchen vorsichtig in eine der beiden Schokoladensorten tunken und in Pistazien, Bananenchips oder Gojibeeren wälzen oder mit der jeweils anderen Schokolade Streifen darüberziehen. Dafür die Cake Pops über den Topf mit der Schokoladenmasse halten, einen Löffel in die Masse tunken und die Schokolade über den Cake Pop träufeln. Die restliche Schokolade tropft in den Topf. Überzogene Kugeln in einem mit Reis gefüllten Glas trocknen lassen.

CARAMEL RIDERS

ZUTATEN für 12 Stück

190 g Sojasahne (Soya Cuisine)

160 g Rohrzucker

1 Msp. gemahlene Vanille

60 g Biomargarine

30 g weißes Mandelmus
(genau abwiegen)

Pflanzenöl für die Formen

12 Kirschtomaten

70 g Zartbitterschokolade
(50 % Kakaogehalt)

100 g veganes Nugat (alternativ
veganer Nuss-Nugat-Aufstrich)

12 geröstete Haselnüsse

Außerdem

Eierbecher oder Pralinenförmchen

AH! Nachdem der Karamell kurz
aufgekocht ist, regulierst du die Hitze
auf niedrige bis mittlere Stufe, sodass
er noch leicht vor sich hin köchelt.
Wenn er Farbe annimmt und klebrig
wird, rührst du das Mandelmus
gründlich in die Masse ein. Die Masse
muss zu diesem Zeitpunkt heiß sein,
sonst wird der Karamell durch das
Mandelmus bröckelig. Benutze für die
Mengenangaben eine Waage, nur so
bekommst du ein gutes Ergebnis.

**ZUBEREITUNG ca. 60 Minuten plus
ca. 20 Minuten Kühlzeit**

Die **Sojasahne** mit **Zucker, Vanille** und **Margarine**
in einem kleinen Topf kurz unter Rühren aufkochen.
Anschließend bei schwacher bis mittlerer Hitze
25–30 Minuten unter häufigem Rühren zu Karamell
kochen, bis die Masse andickt. Dann das **Mandelmus**
dazugeben, schnell einrühren und 30 Sekunden unter
Rühren köcheln lassen.

Möglichst flache Eierbecher oder Pralinenformen
mit etwas **Pflanzenöl** einfetten. Den Karamell nach
dem Kochen schnell mit einem Teelöffel in die Formen
geben und jeweils eine **Kirschtomate** hineindrücken,
sodass eine runde Vertiefung entsteht. Die Kirschtomaten im Karamell lassen und alles ca. 5 Minuten
in den Tiefkühler stellen.

In der Zwischenzeit **Schokolade** und **Nugat** separat in
zwei kleinen Töpfen in einem Wasserbad schmelzen.
Die Tomaten aus dem Karamell entfernen, die **Haselnüsse** in die Vertiefungen geben und mit flüssigem
Nugat auffüllen. 10 Minuten in den Tiefkühler stellen.
Die geschmolzene Schokolade solange abkühlen
lassen, bis sie fast wieder fest ist.

Die Pralinen aus dem Tiefkühler holen und die Schokolade als Deckel daufträufeln. Dann sofort 15 Minuten
in den Tiefkühler stellen.

DONUTS

Foto Seite 222–223

ZUTATEN für 12 Donuts
Für den Teig
500 g Dinkelmehl (Type 630) plus
etwas zum Bestäuben
260 ml Reismilch
1 Würfel frische Hefe (42 g)
150 g Rohrzucker
40 g Biomargarine
(Zimmertemperatur)
2 Prisen Meersalz
250 ml Pflanzenöl zum Frittieren
Für die rote Zuckerglasur
(für 6 Donuts)
45 g Himbeeren
400 g Puderzucker
Für die dunkle Schokoglasur
mit hellen Streifen
(für 6 Donuts)
200 g Zartbitterschokolade
(50 % Kakaogehalt)
40 g weiße vegane Schokolade

ZUBEREITUNG ca. 45 Minuten plus
ca. 1 Stunde 30 Minuten Gehzeit
Für den Teig das **Mehl** in eine Schüssel geben und in
die Mitte eine kleine Mulde drücken. Die **Reismilch**
leicht erwärmen und etwa ein Drittel davon in die
Mulde gießen. Die **Hefe** darüberbröseln, 2 TL **Zucker**
dazugeben und 10 Minuten mit einem Geschirrtuch
bedeckt an einem warmen Ort gehen lassen.
Dann restliche lauwarme **Reismilch,** restlichen
Zucker, Margarine und **Salz** dazugeben und alles
mit dem Knethaken des Rührgeräts oder mit den
Händen zu einem glatten Teig kneten. Zugedeckt
an einem warmen Ort ca. 40 Minuten gehen lassen.
Anschließend mit etwas **Mehl** bestäuben und den
Teig ca. 1,25 cm dick ausrollen. Mit einem großen
Ausstechring (ø 9,5 cm) Kreise ausstechen und mit
einem kleineren Ausstechring (ø 3 cm) das Donut-
loch ausstechen – alternativ ein kleines Messer
nehmen und per Hand ausschneiden.
Restlichen Teig wieder vorsichtig zu einer Kugel
kneten, ausrollen und weitere Donuts ausstechen.
Auf ein mit Backpapier belegtes Backblech geben
und zugedeckt erneut 40 Minuten gehen lassen.
Das **Öl** in einem kleinen Topf auf ca. 150 °C erhitzen
und darin einen Donut nach dem anderen auf
jeder Seite 1 Minute ausbacken. Auf Küchenpapier
abtropfen und abkühlen lassen.
Für die rote Zuckerglasur die **Himbeeren** mit einer
Gabel zerdrücken und mit dem **Puderzucker** verrühren. Die Glasur über den Donuts verteilen.
Für die Streifenglasur beide **Schokoladensorten**
grob hacken und jeweils in kleinen Schälchen in
einem Wasserbad schmelzen. Die Donuts ein- bis
zweimal in die dunkle Schokolade tunken und dann

**Für die helle Schokoglasur mit
dunklen Splittern (für 6 Donuts)**
200 g weiße vegane Schokolade
40 g Zartbitterschokolade
(50 % Kakaogehalt)
**Für die helle Schokoglasur mit
Matcha und Goji-Topping
(für 6 Donuts)**
200 g weiße vegane Schokolade
4 gestr. TL Matcha
60 g Gojibeeren
**Für die weiße Schokoglasur mit
Acai (für 6 Donuts)**
200 g weiße vegane Schokolade
2 EL Acaipulver
Außerdem
runde Ausstecher (ø 9,5 cm und
ø 3 cm; alternativ Gläser oder ein
Messer verwenden)

AH! In diesem Rezept steckt ganz viel
Liebe. Es sind absolut gelingsichere
Donuts, die besser schmecken als die
vom speziellen Donut-Dealer. Ohne
E-Nummern, ohne Chemiebausteine,
dafür mit Superfoods getoppt. Saftig
und süß – jeder Cop würde sie sicher im
Polizeiwagen verschlingen und keinen
Unterschied schmecken. Achte darauf,
dass das Öl nicht zu heiß ist, und lass sie
an einem warmen Ort gut aufgehen, der
Teig muss richtig fluffig werden.

im Tiefkühler ca. 4 Minuten abkühlen lassen. Mit
einem Teelöffel die helle Glasur über die Donuts
träufeln und nochmals 4 Minuten im Tiefkühler
abkühlen lassen.
Für die helle Glasur mit dunklen Splittern die **weiße
Schokolade** in einem Wasserbad schmelzen und
die **dunkle Schokolade** fein hacken. Donuts ein- bis
zweimal in die weiße Schokolade tunken und dann
die dunkle Schokolade darüberstreuen. Die Donuts
im Tiefkühler ca. 4 Minuten abkühlen lassen.
Für die Matcha-Glasur die **weiße Schokolade** in
einem Wasserbad schmelzen und den Matcha mit
einem Schaumbesen einrühren. Die **Gojibeeren**
fein hacken. Die Donuts ein- bis zweimal in die
Matcha-Schokolade tunken. Dann die Gojibeeren
über die Glasur streuen.
Für die Acai-Glasur die **weiße Schokolade** in einem
Wasserbad schmelzen. Die Donuts ein- bis zweimal
in die Schokolade tunken. **Acaipulver** in ein Teesieb
geben und über die Glasur stäuben. Die Donuts im
Tiefkühler ca. 4 Minuten abkühlen lassen.

ERDBEER-BLECHKUCHEN MIT VANILLECREME

**ZUTATEN für ein Blech
(43 x 31 cm; 24 Stücke)**
260 g aufschlagbare Sojasahne
200 g Rohrzucker
150 g Biomargarine (Zimmertemperatur)
480 g Weizenmehl (Type 550)
1 EL Sojamehl (20 g)
3 TL Backpulver (14 g)
1 gestr. TL Vanille
140 ml ungesüßte Sojamilch
1 EL Weißweinessig
1,7 kg Erdbeeren
Für die Vanillecreme
530 g Vanille-Sojapudding (fertig gekauft oder selbst gekocht)
150 g Biomargarine
100 g Rohrzucker
evtl. bis zu 3 TL Johannisbrotkernmehl
Für den Tortenguss
500 ml Kirschsaft
100 g Rohrzucker
2 Päckchen Tortenguss (14 g)

AH! Der Kuchen wird schön luftig und ist super für die Schule, für die Kollegen oder für Sommerpartys in der Erdbeersaison. Gekühlt und mit einem Klecks vegane Schlagsahne schmeckt er am besten.

ZUBEREITUNG ca. 30 Minuten plus ca. 40 Minuten Backzeit und ca. 60 Minuten Abkühlzeit
Den Backofen auf 180 °C Ober-/Unterhitze (160 °C Umluft) vorheizen. Die gekühlte **Sojasahne** aufschlagen und wieder kühl stellen. **Zucker** und **Margarine** mit dem Rührbesen des Rührgeräts verrühren. **Mehl, Sojamehl, Backpulver, Vanille, Sojamilch** und die Hälfte der geschlagenen Sahne dazugeben und zu einem glatten Teig verrühren. Restliche Sahne und den **Essig** unterheben. Die Masse gleichmäßig auf einem mit Backpapier ausgelegten Backblech verstreichen. Im Backofen auf der mittleren Schiene 30–40 Minuten backen. Anschließend abkühlen lassen.

Für die Vanillecreme **Sojapudding, Margarine, Zucker** und – wenn nötig – **Johannisbrotkernmehl** mit einem Schaumbesen zu einer cremigen Masse vermengen (maximal 3 TL Johannisbrotkernmehl je nach Puddingkonsistenz).

Die **Erdbeeren** waschen, putzen und halbieren. Die Creme auf dem abgekühlten Kuchenboden verstreichen und die Erdbeeren darauf senkrecht nebeneinanderstellen.

Für den Tortenguss **Kirschsaft, Zucker** und **Tortenguss** in einem kleinen Topf mit einem Schneebesen gut verrühren und dann unter Rühren aufkochen lassen. Etwa 5 Minuten köcheln lassen. Anschließend ca. 15 Minuten abkühlen lassen, bis der Tortenguss schon etwas weniger flüssig ist. Dann löffelweise über den Erdbeeren verteilen. Den Kuchen nach 30 Minuten in den Kühlschrank stellen – in der Mitte durchschneiden, damit er reinpasst – und nochmals abkühlen lassen.

KARAMELL-ERDNUSS-RIEGEL UND MR. ATTILA

A. KLASSISCHE VERSION
ZUTATEN für 6 Riegel
110 g Zucker
120 g ganze Erdnüsse

B. MR. ATTILA
ZUTATEN für 6 Riegel
110 g Zucker
40 g ganze Paranüsse
40 g ganze Haselnüsse
40 g ganze Cashewkerne
½ TL gemahlene Vanille
½ TL schwach entöltes
Kakaopulver
1 Prise Meersalz

AH! Diese Riegel kennt wohl jeder
von der Tanke. Dabei kann man
sie ganz einfach selbst herstellen.
Vorsicht nur mit dem heißen Zucker!
Bloß nicht reinfassen und probieren,
ob Zucker auch heiß süß schmeckt!
Beim Karamellisieren am besten eine
beschichtete Pfanne nehmen und
immer ein Auge auf den Zucker haben.
Mach am besten eine größere Portion,
du kannst diese Riegel super aufbewahren. Echte Kraftpakete!

ZUBEREITUNG jeweils ca. 25 Minuten
Für die klassische Version ein Viertel des
Zuckers in einer kleinen Pfanne bei mittlerer Hitze unter Rühren schmelzen. Den
restlichen Zucker portionsweise dazugeben
und in der Pfanne schmelzen, bis der ganze
Zucker karamellisiert ist. Die **Erdnüsse** vorsichtig unterheben. Die Masse auf einem
mit Backpapier ausgelegten Backblech
verstreichen. 15 Minuten abkühlen lassen,
dann in Riegel schneiden oder einfach in
Stücke brechen.

Für die Mr.-Attila-Riegel ein Viertel des
Zuckers in einer kleinen Pfanne bei mittlerer
Hitze unter Rühren schmelzen. Den restlichen
Zucker portionsweise dazugeben und in der
Pfanne schmelzen, bis der ganze Zucker
karamellisiert ist. **Nüsse, Vanille, Kakao** und
Salz vorsichtig unterheben. Die Masse auf
einem mit Backpapier ausgelegten Backblech
verstreichen. 15 Minuten abkühlen lassen,
dann in Riegel schneiden oder einfach in
Stücke brechen.

ZITRONEN-CUPCAKES
MIT GRANATAPFEL-PISTAZIEN-TOPPING

ZUTATEN für 6 Stück

Für den Teig

1 Biozitrone
160 g Weizenmehl (Type 550)
140 g Rohrzucker
2 TL Backpulver
1 Prise Meersalz
80 g Biomargarine
40 ml Reismilch
1 TL Sojamehl (8 g)

Für das Topping

100 g Biomargarine
100 g Puderzucker
¼ Granatapfel
20 g geschälte, ungesalzene
Pistazien

Außerdem

6 Papier-Muffinförmchen

AH! Durch Saft und Schale der Zitrone bekommen die Cupcakes ein frisches Aroma – ganz ohne Chemie. Super für den süßen Hunger zwischendurch! Aufbewahrt im Kühlschrank halten sie bis zu zwei Tage, bei mir sind sie aber immer sofort weg.

ZUBEREITUNG ca. 20 Minuten plus ca. 30 Minuten Backzeit

Den Backofen auf 180 °C Ober-/Unterhitze (160 °C Umluft) vorheizen. Die **Zitronenschale** abreiben und den **Saft** auspressen (ca. 40 ml). Alle **Zutaten** für den Teig in einer Schüssel mit dem Rührbesen des Rührgeräts oder einem Löffel verrühren.

6 Papier-Muffinförmchen in eine 6er-Muffinbackform setzen und den Teig gleichmäßig darin verteilen. Im Ofen auf der mittleren Schiene 25–30 Minuten backen (mit der Stäbchenprobe prüfen, ob der Teig durch ist). Anschließend abkühlen lassen.

Für das Topping **Margarine** und **Puderzucker** mit einem Schneebesen cremig rühren. In einen Spritzbeutel geben und die Cupcakes damit garnieren – man kann das Topping auch mit einem Löffel daraufsetzen.

Eine große Schüssel mit Wasser füllen und das **Granatapfelviertel** unter Wasser auseinanderbrechen. Die Kerne sinken dabei auf den Boden, das helle, ungenießbare Fruchtfleisch steigt an die Oberfläche. Das Fruchtfleisch mit einem Sieb abfischen, den Rest aus der Schüssel in ein Sieb gießen und die Kerne heraussammeln. Die **Pistazien** fein hacken oder im Mixer zu Pulver vermahlen. Die Cupcakes mit Granatapfelkernen und Pistazien toppen.

MACADAMIA CHOCOLATE CHIP COOKIES

ZUTATEN für 8 große Cookies
70 g Zartbitterschokolade
(50 % Kakaogehalt)
50 g Macadamianüsse
250 g Dinkelmehl (Type 630)
150 g Rohrzucker
100 g Biomargarine
1 TL Backpulver (5 g)
50 g ungesüßte Sojamilch
1 Prise Meersalz
½ TL gemahlene Vanille

**ZUBEREITUNG ca. 10 Minuten
plus ca. 15 Minuten Backzeit und
ca. 45 Minuten Abkühlzeit**
Den Backofen auf 180 °C Ober-/Unterhitze
(200 °C Umluft) vorheizen. **Schokolade** und
Macadamianüsse grob hacken. **Mehl, Zucker,
Margarine, Backpulver, Sojamilch, Salz** und
Vanille in eine Schüssel geben und mit den
Knethaken des Rührgeräts oder mit den Händen
gut zu einem glatten Teig verarbeiten. Dann die
Nüsse und die Schokolade unterheben.
Den Teig ca. 1 cm dick ausrollen und mit einem
runden Ausstecher oder einem Glas (ø 4–7 cm)
Cookies ausstechen. Auf ein mit Backpapier
ausgelegtes Backblech legen und im Ofen ca.
15 Minuten backen.
Anschließend 30 Minuten abkühlen lassen und
danach ca. 15 Minuten in den Tiefkühler stellen,
damit die Schokolade wieder hart wird.

AH! Die Cookies schmelzen auf der
Zunge – traumhaft lecker! Ich mag
am liebsten Zartbitterschokolade mit
50 % Kakaogehalt, die ist aber leider
oft nicht bio. Achte auf die richtige
Backzeit: Sind die Cookies zu lange im
Ofen, werden sie zu hart und bröselig.
Mach den Geschmackstest: Gib diese
Cookies deinen Freunden – und dann
welche aus der Packung. Schick mir
das Ergebnis auf Facebook! Danke!

AMERICAN PUMPKIN PIE

ZUTATEN für 1 Pie
(Pie- oder Springform, ø 28 cm)
Für den Teig
450 g Cashewkerne
150 g entsteinte Datteln
1 gestr. TL gemahlene Vanille
1 Prise Meersalz
Für die Füllung
1 ½ Hokkaido-Kürbisse
(netto ca. 800 g)
6 g Ingwer (netto)
250 g Kokosöl
1 ½ gehäufter TL Zimt (6 g)
2 Prisen frisch geriebene
Muskatnuss
130 g Agavendicksaft
110 g Cashewmus
1 Prise Meersalz
Für das Topping
300 ml schlagfähige vegane Sahne
Ahornsirup
etwas Zimt zum Bestäuben
Pekannüsse

ZUBEREITUNG ca. 40 Minuten plus
mindestens 3 Stunden Kühlzeit
Für den Teig die **Cashewkerne** im Mixer mahlen.
Anschließend die **Datteln** zu einer Paste mahlen.
Beides mit **Vanille** und **Salz** in einer Schüssel zu
einem festen Teig kneten. Teig in einer Pie- oder
Springform gleichmäßig verteilen und fest mit den
Händen andrücken.
Für die Füllung die **Kürbisse** waschen, halbieren,
entkernen und das Fruchtfleisch in kleine Stücke
schneiden. Den **Ingwer** schälen. Das **Kokosöl** in
einem kleinen Topf bei schwacher Hitze erwärmen,
bis es flüssig ist.
Den Kürbis mit Kokosöl, Ingwer, **Zimt, Muskat,
Agavendicksaft, Cashewmus** und **Meersalz** in
einen sehr starken Mixer geben und zu einer
cremigen Paste pürieren. Die Paste in die Form
gießen, mit Backpapier abdecken und im Tiefkühler
ca. 40 Minuten kühlen lassen. Anschließend im
Kühlschrank kühlen, bis die Kürbismasse fest ist,
am besten über Nacht.
Zum Servieren mit geschlagener **Sojasahne,
Ahornsirup, Zimt** und **Pekannüssen** toppen.

AH! Du brauchst für die Kürbismasse wirklich
einen sehr starken Mixer wie den Vitamix, sonst
wird die Masse nicht cremig. Hokkaido brauchst
du nicht schälen; das ist die einzige Kürbissorte, bei
der das nicht notwendig ist. Bewahre den Kuchen
am besten im Kühlschrank auf, denn das Kokosöl
wird bei Zimmertemperatur schnell weich. Du
kannst ihn auch einfrieren, schneide ihn davor
aber in einzelne Stücke.

SCHOKOTORTE „DIMI DE LUXE"

**ZUTATEN für 1 Springform
(ø 23 cm)**

Für den Teig

300 g Rohrzucker
250 g Biomargarine
(Zimmertemperatur)
300 g Dinkelmehl (Type 630)
40 g Sojamehl
300 ml ungesüßte Sojamilch
1 TL gemahlene Vanille
1 Päckchen Backpulver (17 g)
1 Prise Meersalz
60 g schwach entöltes Kakaopulver

Für die Schokocreme

750 ml schlagfähige Sojasahne
(gekühlt)
450 g Zartbitterschokolade
(50 % Kakaogehalt)
1 TL gemahlene Vanille
80 g Rohrzucker

**ZUBEREITUNG ca. 40 Minuten plus ca. 45 Minuten
Backzeit und ca. 2 Stunden 30 Minuten Kühlzeit**

Den Backofen auf 180 °C Ober-/Unterhitze (160 °C Umluft) vorheizen. Den **Zucker** mit der **Margarine** schaumig schlagen. **Mehl, Sojamehl, Sojamilch, Vanille, Backpulver, Salz** und **Kakaopulver** dazugeben und zu einem glatten Teig rühren. Den Boden der Springform mit Backpapier auslegen, den Teig hineingeben und glatt streichen. Etwa 45 Minuten auf der mittleren Schiene backen, anschließend 1 Stunde abkühlen lassen.

Die **Sojasahne** aufschlagen. 400 g **Schokolade** im Wasserbad schmelzen. 250 ml der geschlagenen Sojasahne, **Vanille** und **Zucker** unterheben und cremig rühren. Diese Mischung zur restlichen geschlagenen Sojasahne geben und alles mit einem Schneebesen vermengen. 30 Minuten im Tiefkühler kühlen.

Den abgekühlten Boden längs mit einem großen, scharfen Messer in 3 Teile schneiden (es gehen auch nur 2). Einen Teil der Schokocreme auf dem unteren Boden verteilen, den nächsten Teigboden darauflegen und erneut Creme darauf verstreichen, den dritten Boden darauflegen und den Rest der Creme darauf verstreichen. Mit einem Sparschäler Schokoladensplitter von der restlichen **Schokolade** abhobeln und die Torte damit garnieren. Nun die Torte für 1 Stunde kühl stellen.

AH! Diese Schokotorte ist der Knaller im Büro, auf Geburtstagen und Partys. Sie ist schnell gemacht, cremig-lecker und supersaftig. Nimm unbedingt gekühlte vegane Sahne und probiere vorher ein paar Sorten. Backe den Boden am Vorabend, bereite die Schokocreme vor und stelle sie kühl. Dadurch hatte der Teig genug Zeit zum Abkühlen und die Creme ist fester. Und du kannst am nächsten Morgen einfach beide Komponenten zusammenfügen.

ATTILAS PISTAZIEN-BAKLAVA

**ZUTATEN für 1 Blech
(46 x 38,5 cm)**
130 g Biomargarine
300 g Walnusskerne
260 g geschälte, ungesalzene
Pistazien
470 g Filoteig
200 g Agavendicksaft

AH! Ein Klassiker der türkischen Küche, der komplizierter aussieht, als er ist. Filoteig findest du bei deinem Biodealer oder im gut sortierten Supermarkt. Um Kosten zu sparen, kannst du weniger Pistazien, dafür aber mehr Walnüsse und Co. nehmen.

**ZUBEREITUNG ca. 30 Minuten plus ca.
20 Minuten Backzeit und ca.
30 Minuten Abkühlzeit**
Den Backofen auf 180 °C Ober-/Unterhitze (160 °C Umluft) vorheizen. Das Backblech mit Backpapier auslegen.
Die **Margarine** in einem kleinen Topf zerlassen. **Walnüsse** und **Pistazien** im Mixer fein mahlen. 2 Lagen **Filoteig** auf das Backblech legen und mit einem Silikonpinsel etwas geschmolzene Margarine darauf verstreichen. Darauf wieder 2 Lagen Filoteig legen, mit Margarine bepinseln und das Ganze nochmals wiederholen, sodass 6 Schichten Filoteigblätter übereinanderliegen, von denen jedes zweite mit Margarine bestrichen ist. Auf der letzten Schicht gleichmäßig die Walnüsse und 200 g Pistazien verteilen (60 g für die Deko zurückbehalten). Die nächsten 2 Lagen Filoteig darauflegen, mit Margarine bestreichen und das Ganze wieder zweimal wiederholen. Die letzte Schicht vor dem Bestreichen mit Margarine mit den Händen etwas festdrücken.
Im Ofen auf der mittleren Schiene etwa 20 Minuten backen, bis der Teig goldbraun ist. Dann aus dem Ofen nehmen.
In der Zwischenzeit 120 ml Wasser mit dem **Agavendicksaft** verrühren. Den Sirup gleichmäßig über dem Baklava verteilen und 30 Minuten durchziehen lassen. Mit den restlichen **Pistazien** dekorieren.

SUPERSIZE-BLAUBEERMUFFINS

ZUTATEN für 6 große Muffins
250 g Weizenmehl (Type 550)
200 g Rohrohrzucker
1 Prise Meersalz
2 TL Backpulver
1 EL Sojamehl (10 g)
140 ml Sonnenblumenöl
40 g gemahlene Mandeln
½ TL Zimt
½ TL gemahlene Vanille
160 ml ungesüßte Sojamilch
210 g Blaubeeren
evtl. 10 g Puderzucker zum
Bestäuben
Außerdem
6 Papier-Muffinförmchen

**ZUBEREITUNG ca. 15 Minuten plus
ca. 30 Minuten Backzeit**
Den Backofen auf 180 °C Ober-/Unterhitze
(160 °C Umluft) vorheizen. Alle **Zutaten** bis
auf die Blaubeeren und den Puderzucker in
einer Schüssel zu einem Teig rühren. Die
Blaubeeren waschen, kurz abtropfen lassen
und unter den Teig heben.
Die Papier-Muffinförmchen in eine große
6er-Muffinbackform setzen und den Teig
gleichmäßig darin verteilen. Im Ofen auf der
mittleren Schiene 30 Minuten backen.
Anschließend abkühlen lassen und eventuell
mit etwas **Puderzucker** bestäuben.

AH! Riesige, fruchtige Muffins mit dem Blaubeer-
kick und einem leichten Mandelgeschmack:
Sie sind wunderbar geeignet für den süßen
Hunger unterwegs oder für Partys – da sind
sie ganz schnell weggefuttert! Keine falsche
Bescheidenheit: Fülle die Förmchen mit Teig
richtig voll, dann werden die Muffins gigantisch.

ERDNUSS-SCHOKO-TRÜFFELN

ZUTATEN für 10 Stück
150 g Zartbitterschokolade
(50 % Kakaogehalt)
170 g feines Erdnussmus
30 g Agavendicksaft
1 Msp. gemahlene Vanille
Außerdem
Peanutbutter-Cup-Formen oder
kleine Papierförmchen

ZUBEREITUNG ca. 40 Minuten
Die **Zartbitterschokolade** im Wasserbad oder
auf der niedrigsten Stufe eines Induktionsherds
in einem kleinen Topf schmelzen. Gleichmäßig
in kleine Peanutbutter-Cup-Formen oder kleine
Papierförmchen füllen und an den Seiten mit
einem Silikonpinsel leicht hochstreichen. Dann
10 Minuten in den Tiefkühler stellen.
Erdnussmus, Agavendicksaft und **Vanille** in einer
Schüssel mit einer Gabel vermengen.
Die Cups aus dem Tiefkühler nehmen und in jeden
Cup ca. 1 TL der Erdnussmasse füllen. Die restliche geschmolzene **Schokolade** darübergeben
und 15 Minuten in den Tiefkühler stellen. Wenn die
Schokolade zwischenzeitlich wieder fest geworden
ist, im Wasserbad nochmals kurz erwärmen.
Im Kühlschrank aufbewahren.

AH! Die Förmchen mit ca. 2–2,5 cm
Durchmesser sehen aus wie kleine
Muffinförmchen. Du findest sie
zum Beispiel in der Backabteilung
von Supermärkten oder auch im
Kaufhaus in der Kochabteilung.
Aber auch größere Förmchen gehen.
Achte nur darauf, dass das Verhältnis
von Schokolade zu Creme nicht in
Richtung von zu viel Schokolade
ausschlägt. Gekühlt schmecken
sie übrigens am besten. Nimmst
du sie mit, lass sie keinesfalls im
Handschuhfach liegen, wenn es
warm wird.

SUPERBEEREN-STREUSELKUCHEN

ZUTATEN für 1 Blech
(33 x 25 cm; 6–9 Stücke)

600 g Dinkelmehl (Type 1050)
340 ml ungesüßte Sojamilch
1 ¼ Würfel frische Hefe (ca. 55 g)
80 g Rohrzucker
80 g Biomargarine
1 TL gemahlene Vanille
2 Prisen Meersalz

Für den Beerenbelag

200 g Himbeeren
150 g Brombeeren
150 g Blaubeeren
100 g Schwarze Johannisbeeren
100 g Rote Johannisbeeren

Für die Zimtstreusel

290 g Dinkelmehl (Type 1050)
2 TL Zimt
170 g Rohrzucker
190 g Biomargarine
1 Prise Meersalz

Außerdem

vegane Schlagsahne
Vanilleeis

AH! Das wird ein großes Blech mit saftigem Kuchen, der deine Freunde und Kollegen begeistern wird. Du kannst natürlich auch nur eine Beerensorte nehmen, um die Kosten geringer zu halten. Friere ihn gern ein, so hast du immer frischen Kuchen zu Hause. Beeren enthalten viele Stoffe, die gut für die Haut sind.

ZUBEREITUNG ca. 25 Minuten plus 50 Minuten Gehzeit und 40 Minuten Backzeit

Für den Teig das **Mehl** in eine Schüssel geben und in die Mitte eine kleine Mulde drücken. Die **Sojamilch** handwarm erwärmen und 100 ml davon in die Mulde gießen. Die **Hefe** darüberbröseln, 2 TL **Zucker** dazugeben und den Vorteig 10 Minuten zugedeckt an einem warmen Ort gehen lassen.

Dann die restliche warme **Sojamilch,** den restlichen **Zucker, Margarine, Vanille** und **Salz** dazugeben und alles mit dem Knethaken des Rührgeräts oder den Händen zu einem glatten Teig verarbeiten. Zugedeckt an einem warmen Ort ca. 40 Minuten gehen lassen. Anschließend auf dem mit Backpapier belegten Backblech gleichmäßig mit angefeuchteten Händen ausbreiten. Mit einem Geschirrtuch abdecken.

Himbeeren, Brombeeren, Blaubeeren und **Johannisbeeren** verlesen, vorsichtig waschen und auf Küchenpapier abtropfen lassen. Danach auf dem Hefeteig verteilen und leicht andrücken.

Den Backofen auf 200 °C Ober-/Unterhitze (180 °C Umluft) vorheizen.

Für die Streusel alle **Zutaten** mit dem Knethaken des Rührgeräts verkneten, bis der Teig eine bröselige Konsistenz hat. Anschließend mit den Händen die Streusel über den Früchten verteilen. Wenn nötig, dabei mit den Händen zerbröseln.

Den Streuselkuchen im Ofen auf der mittleren Schiene 40 Minuten backen.

Anschließend abkühlen lassen und nach Wunsch mit veganer **Schlagsahne** und/oder **Vanilleeis** servieren.

KAISERSCHMARREN MIT ERDBEEREN UND PISTAZIEN

ZUTATEN für 2 Personen

Für den Kaiserschmarren

130 g aufschlagbare Sojasahne
160 g Weizenmehl (Type 550)
1 Prise Meersalz
½ TL gemahlene Vanille
1 gehäufter TL Backpulver
50 g Rohrzucker
150 ml Reismilch
30 g Cashewmus
½ EL Biomargarine
1 EL Puderzucker

Für die Erdbeeren

20 g geschälte, ungesalzene Pistazien
320 g Erdbeeren
30 g Agavendicksaft
1 Msp. gemahlene Vanille

AH! Der Teig wird durch die aufgeschlagene Sojasahne richtig fluffig. Aber Vorsicht: Es gibt auch vegane Sahne, die man nicht aufschlagen kann, obwohl es auf der Packung steht. Probiere am besten ein paar Produkte. Um Kosten zu senken, verwende statt Pistazien andere Nüsse oder lass sie komplett weg.

ZUBEREITUNG ca. 25 Minuten

Die **Sojasahne** kühl stellen und anschließend aufschlagen. **Mehl, Salz, Vanille, Backpulver** und **Zucker** in eine große Schüssel geben und verrühren. Die **Reismilch** dazugeben und mit einem Schneebesen zu einem cremigen Teig verrühren. Dann das **Cashewmus** unterheben und gut verrühren. Nun die geschlagene Sojasahne vorsichtig unterheben.

Die **Margarine** in einer beschichteten Pfanne erhitzen, den Teig hineingeben und 4 Minuten bei mittlerer Hitze backen. Eine zweite Pfanne umgedreht auf die erste Pfanne legen, das Ganze umdrehen und so den Kaiserschmarren wenden (alternativ vorsichtig mit dem Pfannenwender wenden). Nun auf der anderen Seite weitere 4 Minuten backen.

Den Kaiserschmarren mit einem Kochlöffel in kleinere Stücke zupfen, auf einen Teller geben und mit **Puderzucker** bestäuben.

Die **Pistazien** hacken. Die **Erdbeeren** waschen, den Strunk entfernen und die Früchte vierteln. Mit **Agavendicksaft** und **Vanille** vermengen. Die Erdbeeren zum Kaiserschmarren servieren und alles mit den Pistazien bestreuen. Eventuell noch etwas geschlagene **Sojasahne** dazu servieren.

KARTOFFELPUFFER MIT APFEL-KIRSCH-MUS

ZUTATEN für 2 Personen
(10 Stück)
700 g fest- oder mehligkochende
Kartoffeln
1 große Zwiebel (brutto ca. 150 g)
1 ½ gehäufte EL Kartoffelstärke
(38 g)
Meersalz
50 g Biomargarine
Für das Apfel-Kirsch-Mus
500 g Äpfel (netto ca. 320 g)
80 ml Kirschsaft
50 g Rohrzucker

ZUBEREITUNG ca. 35 Minuten
Die **Kartoffeln** schälen und mit einer groben Küchenreibe reiben. Die **Zwiebel** schälen und fein hacken oder ebenfalls reiben, das geht schneller. Alles in eine Schüssel geben, die **Kartoffelstärke** unterheben und mit etwas **Salz** würzen.
Für das Apfel-Kirsch-Mus die **Äpfel** schälen, vierteln, entkernen und in kleine Stücke schneiden. Mit **Kirschsaft** und **Zucker** in einen kleinen Topf geben, aufkochen lassen und bei mittlerer Hitze 4–6 Minuten unter mehrmaligem Rühren weich kochen. Abkühlen lassen, eventuell kurz in den Tiefkühler stellen.
Die **Margarine** in einer Pfanne erhitzen und jeweils 1–2 EL Kartoffelmasse für einen Puffer in das heiße Fett geben. Die Puffer auf jeder Seite ca. 4 Minuten bei mittlerer Hitze kross ausbacken. Nach jedem Puffer erneut etwas **Margarine** in die Pfanne geben.
Die Puffer auf Küchenpapier abtropfen lassen.

AH! Besorge dir unbedingt eine gute Küchenreibe – damit macht die Arbeit mehr Spaß. Während der erste Schwung Kartoffelpuffer in der Pfanne ist, kannst du schon mal mit dem Dip anfangen. So sparst du viel Zeit.

MANGO CHEESECAKE

ZUTATEN für 1 Springform
(ø 23 cm)

Für den Boden

210 g grobe Haferflocken

240 g Kokosöl (davon 165 g für die Mangomasse)

55 g Agavendicksaft

1 gestr. TL gemahlene Vanille

1 Prise Meersalz

Für die Mangomasse

2 Mangos (brutto ca. 1,2 kg, netto ca. 750 g)

300 g Cashewmus

50 g Agavendicksaft

Für den Belag

1 Mango (brutto ca. 600 g)

4–6 Himbeeren

75 g Heidelbeeren

ZUBEREITUNG ca. 30 Minuten

Die **Haferflocken** in einer Pfanne ohne Fett bei mittlerer bis starker Hitze ca. 5 Minuten rösten. Die Hälfte der gerösteten Haferflocken im Mixer grob mahlen.

Das **Kokosöl** im Wasserbad schmelzen. Gemahlene und ungemahlene Haferflocken mit 75 g zerlassenem Kokosöl, **Agavendicksaft, Vanille** und **Salz** in einer großen Schüssel vermengen. Den Boden der Springform mit Backpapier auskleiden. Die Haferflockenmischung darauf verteilen und etwas andrücken.

Für die Mangomasse die **Mangos** schälen und das Fruchtfleisch abschneiden. Mit **Cashewmus,** restlichem **Kokosöl** und **Agavendicksaft** im Mixer cremig pürieren. Auf dem Haferflockenboden verstreichen. Im Tiefkühler 30–40 Minuten kühlen, bis die Füllung fest ist; besser noch über Nacht in den Kühlschrank stellen.

Die **Mango** für den Belag schälen und in feine Spalten schneiden. Die Spalten dachziegelartig auf dem Kuchen verteilen, die **Himbeeren** in der Mitte platzieren und den Rand mit den **Heidelbeeren** verzieren.

AH! Kokosöl findest du bei deinem Biodealer. Es ist reich an den gesunden Fettsäuren Laurinsäure, Stearinsäure und Palmitinsäure und enthält Mineralstoffe wie Kalium, Kalzium, Eisen und Kupfer. Den fertigen Cake unbedingt im Kühlschrank aufbewahren. Kokosöl wird bei Zimmertemperatur nämlich sehr weich, der Kuchen dadurch ebenfalls.

ZIMTSCHNECKEN MIT CASHEW-ZIMT-FÜLLUNG UND ZUCKERGUSS

ZUTATEN für 20 Stück
(ca. 1 ½ Bleche)

500 g Dinkelmehl (Type 630) plus
etwas zum Bestäuben
250 ml Reismilch
1 Würfel frische Hefe (42 g)
130 g Rohrzucker
40 g Biomargarine
2 TL Zimt
2 Prisen Meersalz

Für die Cashew-Zimt-Füllung
230 g Cashewmus
150 g Rohrzucker
4 TL Zimt
1 Prise Meersalz
40 g Biomargarine

Für den Zuckerguss
250 g Puderzucker

AH! Statt Zuckerglasur kannst
du auch einfach etwas Reissirup
oder Agavendicksaft darüber-
gießen. Während der Teig aufgeht,
kannst du schon die Füllung
zubereiten – das spart Zeit. Das
Rezept dauert nicht lange und
ist einfach. Das Einzige, was Zeit
kostet, ist das Warten beim Aufgehen und Backen.

ZUBEREITUNG ca. 40 Minuten plus ca. 70 Minuten Gehzeit, ca. 20 Minuten Backzeit je Blech und
ca. 20 Minuten Abkühlzeit

Für den Teig das **Mehl** in eine Schüssel geben und in die Mitte eine kleine Mulde drücken. Die **Reismilch** handwarm erwärmen und 100 ml davon in die Mulde gießen. Die **Hefe** darüberbröseln und 2 TL **Zucker** dazugeben. Zugedeckt 10 Minuten an einem warmen Ort gehen lassen.

Dann die restliche warme **Reismilch**, restlichen **Zucker**, **Margarine**, **Zimt** und **Salz** dazugeben und alles mit dem Knethaken des Rührgeräts oder den Händen zu einem glatten Teig kneten. Zugedeckt an einem warmen Ort ca. 40 Minuten gehen lassen.

Danach mit etwas **Mehl** bestäuben und den Teig zu einem ca. 29 x 44 cm großen und 0,5 cm hohen Rechteck ausrollen.

Alle **Zutaten** für die Füllung cremig rühren und den Teig damit gleichmäßig bestreichen. Den Teig von vorn nach hinten einrollen und in ca. 2 cm dicke Scheiben schneiden. Auf mit Backpapier ausgelegte Backbleche legen und zugedeckt 30 Minuten an einem warmen Ort gehen lassen.

Den Backofen auf 180 °C Ober-/Unterhitze (160 °C Umluft) vorheizen und die Zimtschnecken nacheinander auf der mittleren Schiene 20 Minuten backen. Dann etwa 20 Minuten abkühlen lassen.

Den **Puderzucker** mit 4–5 EL warmem Wasser in einer Schüssel cremig rühren. Die Masse mit einem Löffel über den Zimtschnecken verteilen. Abkühlen lassen.

POWERKUGELN

A. HAFER-SURVIVAL-BALLS

ZUTATEN für 20 Stück

200 g feine Haferflocken
100 g getrocknete Soft-Aprikosen
30 g Kokosflocken
100 g Kokosmus
70 g weißes Mandelmus
1 TL gemahlene Vanille
½ TL Zimt
110 g Ahornsirup
1 TL schwach entöltes Kakaopulver

ZUBEREITUNG ca. 15 Minuten plus ca. 15 Minuten Kühlzeit

Die **Haferflocken** im Mixer grob pürieren, sodass ein grobes Mehl entsteht. Die **Aprikosen** fein hacken. Alle **Zutaten** bis auf das Kakaopulver mit einem Löffel zu einer festen Masse vermengen. Anschließend mit angefeuchteten Händen zu pralinengroßen Bällchen formen. Im Tiefkühler ca. 15 Minuten kühlen lassen. Anschließend den **Kakao** in ein kleines Sieb geben und die Pralinen leicht damit bestäuben. Im Kühlschrank halten sich die Bällchen ein paar Tage.

B. PISTAZIENTRÜFFELN „GRÜNE SONNE"

ZUTATEN für 16–17 Stück

150 g geschälte, ungesalzene Pistazien
30 g ungesüßte Cornflakes
70 g Agavendicksaft
50 g Cashewmus
1 Prise Meersalz

ZUBEREITUNG ca. 15 Minuten plus ca. 15 Minuten Kühlzeit

Die **Pistazien** im Mixer oder Blitzhacker mahlen. Die **Cornflakes** mit den Händen zerbröseln. Alle **Zutaten** in einer Schüssel mit den Händen vermengen.
Die Hände mit Wasser befeuchten und aus der Masse Bällchen formen. Auf einen Teller geben und im Tiefkühler ca. 15 Minuten durchkühlen lassen.

AH! Das Kokosmus für die Hafer-Survival-Balls bitte nicht mit Kokosöl oder -fett verwechseln. Die Pistazien für die „Grüne Sonne" gibt es günstig in türkischen Lebensmittelgeschäften.

SCHOKOMOUSSE AUS AVOCADO MIT BEERENMIX

ZUTATEN für 2 Personen

Für die Schokomousse

3 Avocados (netto ca. 600 g)

70 g Kakaobutter

120 g Agavendicksaft

90 g Reissirup

4 ½ TL schwach entöltes Kakaopulver (ca. 18 g)

½ TL gemahlene Vanille

Für den Beerenmix

60 g Erdbeeren

60 g Himbeeren

60 g Blaubeeren

60 g Johannisbeeren

3 TL Agavendicksaft

½ TL gemahlene Vanille

ZUBEREITUNG ca. 15 Minuten plus ca. 20 Minuten Kühlzeit

Die **Avocados** halbieren, die Kerne entfernen und das Fruchtfleisch mit einem Löffel herauslösen. Die **Kakaobutter** in einem Wasserbad oder einem kleinen Topf auf dem Induktionsherd auf kleinster Stufe schmelzen.

Avocadofruchtfleisch mit geschmolzener Kakaobutter, **Agavendicksaft, Reissirup, Kakaopulver** und **Vanille** mit dem Pürierstab oder im Mixer zu einer cremigen Masse pürieren. Anschließend im Tiefkühler ca. 20 Minuten kühl stellen.

Erdbeeren, Himbeeren, Blaubeeren und **Johannisbeeren** verlesen, vorsichtig waschen, abtropfen lassen und mit **Agavendicksaft** und **Vanille** vorsichtig vermengen.

Den Beerenmix zu der Mousse servieren.

AH! Eine sehr gesunde Schokosünde, denn Avocados enthalten gesunde Fette und viel Vitamin A, B2, B5, D und K. Durch die starke Süßkraft des Agavendicksafts und den leichten Karamellgeschmack des Reissirups wird diese Mousse zu einem unfassbar leckeren Genusserlebnis. Unbedingt kühl stellen! Die Mousse hält sich maximal einen Tag im Kühlschrank.

INDEX

INDEX

DANKE

„Vegan to Go" ist mein viertes Buch beim Becker Joest Volk Verlag. Ein viertes Abenteuer geht zu Ende. Ich blicke auf die vergangenen Jahre zurück und kann oft nicht realisieren, was alles passiert ist. Ich bin immer noch der alte Attila, aber mein Leben ist ein anderes geworden. Aus einer Idee, einem Traum ist Realität geworden. Vegane Ernährung ist plötzlich überall, Hunderttausende verändern ihr Leben durch kleine Schritte in die richtige Richtung.

Ich danke allen meinen **LESERN,** die sich durch mich haben inspirieren lassen und ihr eigenes veganes Feuer im Herzen entzündeten. Meine vegane Reise begann mit einem Gespräch mit einem guten Freund, er entfachte damals das Feuer in meinem Herzen. Dieses eine Gespräch lenkte mein Leben in ungeahnte Bahnen. Und so gibst auch du täglich die Fackel weiter und weckst die vegane Leidenschaft in deinem Umfeld. Denn das, was auf dem Spiel steht, ist mehr als das, was wir auf unserem Teller sehen: Es ist die Zukunft unseres Planeten, der Tierwelt und Umwelt und unsere ganz eigene Gesundheit. Täglich änderst du mit bewussten Kaufentscheidungen den Lauf der Dinge, die Zukunft der Menschheit! Hört sich zu hochtrabend an? Ich habe dennoch keinen Zweifel, dass es genau so ist! Und gemeinsam sind wir stark!

Danken möchte ich allen, die an diesem Projekt beteiligt waren, zuallererst **RALF JOEST,** dem nach wie vor besten Verleger der Welt und guten Freund, der mich auch in diesem Jahr mit seinem Rat begleitet hat. Danke, **DIMI,** dass du während dieser Zeit nicht nur bei allen Food-Fotoshootings, sondern auch bei meinen Reisen dabei warst und tatkräftig an meiner Seite gestanden hast. Danke, **SIMON** und **JOHANNES** – eure Food-Bilder sind sicher die stärksten, seitdem wir angefangen haben. Danke, **JUSTYNA,** für die tollen Bilder in L. A. und Berlin und das lebensbejahende und in Teilen wirklich witzige Design. Ich sehe alles vor meinem geistigen Auge: unsere langen Fototage am Strand von Venice, in Hollywood und am Santa Monica Peer. Danke, **PHILINE,** für das ausdauernde Durchhalten an diesen Tagen. Danke, **VALERIE,** du bist ein Koordinationsgenie. Danke, **MELANIE,** für die Arbeit an den Trailern und Videos. Danke, **JOHANNA,** für das Projektmanagement – schön zu sehen, dass wir am Ende doch den gleichen Geschmack haben. Danke, **ANNE** und **ELLEN,** für eure Gründlichkeit und Sorgfalt. Danke, **BETTINA,** für das sorgfältige Lektorieren der Rezepte. Danke, **DOREEN,** für dein gewissenhaftes Korrektorat. Danke an das komplette **BJVV-TEAM!** Danke, **DIANA** und **JÜRGEN,** wir schreiben diese Erfolgsgeschichte weiter und eure Arbeit ist ein wichtiger Teil davon. Danke, **WELLI, SARAH** und **DANIEL,** für die tolle und erfolgreiche PR-Arbeit seit nunmehr drei Jahren.

Für mich endet ein viertes Abenteuer, aber ich bleibe Challenger und fordere mich weiter heraus. Das nächste Abenteuer wartet schon und ich bin sehr gespannt, was die nächsten Jahre bringen. Eines noch: Ich hoffe wirklich, dass „Vegan to Go" dazu beiträgt, dass vegane Ernährung für viele noch attraktiver, alltagstauglicher und umsetzbarer wird und dass durch größere Nachfrage mehr Restaurants vegane Optionen auf die Karte setzen – denn ich habe nach so vielen Jahren die Schnauze voll von Salat mit Essig-Öl-Dressing oder Nudeln mit Tomatensauce!

IMPRESSUM

Originalausgabe Becker Joest Volk Verlag

© 2014 – alle Rechte vorbehalten

1. Auflage Dezember 2014

ISBN 978-3-95453-101-1

REZEPTE UND TEXT Attila Hildmann

FOOD-FOTOS Simon Vollmeyer

FOOD-STYLING Johannes Schalk

PORTRÄTS Dipl.-Des. Justyna Krzyżanowska

PROJEKTLEITUNG Johanna Hänichen

LAYOUT, GESTALTUNG Dipl.-Des. Justyna Krzyżanowska
für Makro Chroma Joest & Volk OHG, Werbeagentur

BUCHSATZ Dipl.-Des. Anne Krause

BILDBEARBEITUNG UND LITHOGRAFIE
Ellen Schlüter, Makro Chroma Joest & Volk OHG, Werbeagentur

LEKTORAT REZEPTE Bettina Snowdon

KORREKTORAT Doreen Köstler

DRUCK Mohn Media Mohndruck GmbH

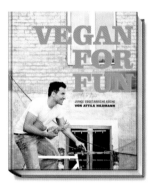
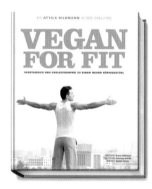

„Vegan for Fun" bietet genussvolle vegetarische Gerichte für den Alltag, „Vegan for Fit" ist eine 30-Tage-Turbodiät, mit der sich effektiv und ohne zu hungern Übergewicht abbauen lässt. „Vegan for Youth" enthält leckere und gesunde vegane Rezepte, die auch den Alterungsprozessen entgegenwirken und Übergewicht abbauen. Alle drei Titel sind bereits als E-Books erhältlich, „Vegan to Go" folgt in Kürze. Die Attila-Hildmann-App ist die praktische Ergänzung zu den hier genannten Büchern und stellt 20 kostenlose Probe-rezepte zur Verfügung.

Attila-Hildmann-App

**BECKER
JOEST
VOLK
VERLAG**

www.bjvv.de